Triunfa en el amor

*Cómo reconciliarte y mejorar la relación
con tu pareja*

Óscar Durán Yates

Triunfa en el amor

*Cómo reconciliarte y mejorar la relación
con tu pareja*

Mestas
ediciones

© Óscar Durán Yates
© JORGE A. MESTAS EDICIONES, S.L.
Avda. de Guadalix, 103
28120 Algete (Madrid)
Tel. 91 886 43 80
Fax: 91 886 47 19
E-mail: info@mestasediciones.com
www.mestasediciones.com
http://www.facebook.com/MestasEdiciones
http://www.twitter.com/#!/MestasEdiciones

Director de colección: Raül Pere

Primera edición: *Marzo, 2013*

ISBN: 978-84-92892-02-0
Depósito legal: M-6641-2013
Printed in Spain - Impreso en España

A mis hijos, Ariadna y Jorge Juan.
Y a su hermano mayor,
Álvaro allí en donde se encuentre...

A los padres o madres que decidieron separarse
o que no lo pudieron evitar

Y a sus hijos, para que vean en la ruptura
lo que no pudieron ver sus ojos

Índice

INTRODUCCIÓN

Lo que me propongo compartir contigo a través de estas páginas es el aprendizaje que ofrece, de forma natural, la experiencia de la ruptura, la separación o el divorcio. Y mejor aún, el mismo que tú y que cualquier persona que lea estas páginas podrá obtener si contempla ciertas vivencias desde la perspectiva que te voy a ofrecer. Te pediría que no creas ninguna palabra de las que digo, pero si eligieses mirar hacia el lado que te propongo, comprométete a hacer tu parte para llegar a lo más alto o más profundo que puedas. Te prometo que al hacerlo, vas a observarte a ti mismo, a tu pareja y a tus relaciones pasadas o futuras desde una nueva visión y una perspectiva auténtica de tu corazón.

Lo que te voy a compartir en los siguientes capítulos son principios que han resistido el paso de los años, desde los remotos días en el que el ser humano apenas se recuerda a sí mismo hasta nuestros días actuales. No son principios que yo he inventado. Ni siguiera son principios que ha inventado alguien en la tierra. Son descubrimientos, principios que, si quieres conocer, necesitas quitarles el velo. Estos principios son algo de lo que no somos conscientes, pero podemos aprender cómo funcionan; sin embargo, no podemos cambiar su funcionamiento, tan solo conocerlos e incluso hacerlos funcionar a nuestro favor, pero ignorarlos es de necios. Estos principios conservan una inteligencia propia y yo he tenido la oportunidad de ir aprendiendo de ellos durante los últimos años, bien a través de mi experiencia vital como a través de lo aprendido con mis clientes.

Si llegas a la última página del libro habrás descubierto un amplio abanico de la sabiduría que esconden y es muy posible que eso cambie tu forma de mirarte a ti mismo/a. Pero mucho mejor, podrás descubrir qué hacer para alcanzar el siguiente nivel que desees en tu relación de pareja y en tu vida hoy. La información que se irá mostrando está presente en distintas disciplinas del conocimiento humano, por eso se les llama Principios Universales, ya que vayas donde vayas o estudies lo que estudies, vas a encontrar su presencia. La diferencia se encuentra en que cada disciplina utiliza su lenguaje de códigos y te hacen creer que son principios diferentes, sin embargo, debajo de los códigos se encuentra el mismo mensaje.

Un poquito de mi historia personal y algo de mi experiencia profesional

Mis padres se separaron cuando yo tenía 3 años. Mi padre lo pasó muy mal por la ruptura de su matrimonio, por sus hijos y por él mismo. Mi madre también tuvo muchísimos retos que afrontar porque su decisión fue la menos fácil en una sociedad conservadora. Ninguno de los dos quiso hacernos daño a mi hermana y a mí, pero lo cierto es que la experiencia de la ruptura nos predestinó un camino en nuestras vidas que nos iba a dar nuestra propia perspectiva personal de lo bueno y lo malo.

Desde los 12 años de edad he explorado conscientemente los misterios de la percepción humana a través de mis propias experiencias, y desde hace más de 10 años lo llevo haciendo de forma metodológica con clientes que me contratan para ayudarles a transformar la percepción de sus vidas. He observado durante todos estos años una cosa en común: las personas *funcionamos con patrones inconscientes que nosotros creamos para evolucionar*. En la mayoría de los casos he observado que el ser humano es más víctima de su propia ignorancia, de su olvido y de su ingratitud que de lo que otros le hicieron o dejaron de hacer.

Yo tampoco me he librado de mis propios patrones. He vivido mis relaciones de pareja desde las necesidades no satisfechas de la infancia reproduciendo en mi vida aquello que más detestaba de mis padres o convirtiéndome con pelos y señales en lo que más condenaba de alguno de ellos. He repetido las mismas experiencias, una y otra vez, sin entender por qué ni para qué. He buscado con discernimiento allí donde podía encontrar la señal para dar el siguiente paso. He vivido todo lo que me permití con pasión y ha sido inevitable tocar los territorios más dolorosos de mi ser parar sentir que en el único sitio donde tiene cabida la plenitud es en mi corazón. Y que lo que observe desde esa plenitud será pleno y perfecto, pero lo que contemple desde un lugar distinto al de la PLENITUD DEL AMOR será la confusión y el caos de las subidas y bajadas emocionales, tan necesarias para vivir en la tierra e inexplicablemente inciertas. Y lo que la plenitud me ha mostrado hasta ahora es que no existe tal cosa llamada buena o mala en sí misma. Que todo es relativo y depende del observador. Que tanto la belleza o la fealdad está en los ojos de quien mira y no en lo que se observa exclusivamente. Que igual que siento yo de otros, otros sienten lo mismo de mí. Que la mayor libertad de crear la vida que deseas está hermanada con hacerte esclavo de los hábitos que te conducirán a su logro. Que no hay tal cosa llamada GRATIS, porque el precio de respirar se paga con el dolor de vivir y el placer de superarte a ti mismo/a. ¡Que no es poco! Pero cuando duele y no para, tú quieres morir sin parar. Y solo para de dolerte cuando descubres que tu dolor no vino solo, sino que trajo un regalo cuyo precio has de pagar si quieres verdaderamente amar.

Descubre tu patrón condicionante

Los patrones son un programa mental inconsciente que mientras está en ejecución, te condiciona, te predetermina y te hace comportarte como su esclavo. El dolor en la vida, es el mejor transformador de esos patrones inconscientes y despierta a las personas paulatinamente a la existencia de su SER INTERIOR y a lo que han venido a ser, hacer y tener en la vida. Es por eso que cuando rompemos una relación de pareja, familiar o de amistad, volvemos a atraer o a *crear una relación "del mismo estilo" con alguien* nuevo que conoceremos o con alguien que ya estaba en nuestra vida pero no lo conocíamos demasiado. Repetir una experiencia es como un "test" para evaluar **lo que has aprendido** de tu pareja anterior, del amigo anterior o del familiar con el que te has enemistado. Tu aprendizaje alimenta tu sabiduría y fortalece tu amor. Repetir una experiencia similar en un futuro próximo no es una señal de fracaso, sino la oportunidad en la que podrás comprobar CUÁNTO AMOR HAS SEMBRADO EN TU CORAZÓN hasta ese momento. Aquello que aún no hayas agradecido del pasado, lo volverás a tener delante de ti a modo de una nueva oportunidad para aprender lo que aún no aprendiste.

No será necesario que vayas al pasado a recordar nada, pues aquello que aún te duele del comportamiento de otros es lo que aún no abrazas en ti, por eso lo vivirás cada vez con otros. Lo que no abrazas de ti lo acumulas inconscientemente en el "basurero interior del resentimiento hacia ti mismo". Y erre que erre, repetirás las situaciones de las que estás huyendo o no quieres vivir hasta que trasciendas el patrón inconsciente en el que te hayas inmerso.

¿Cómo te das cuenta que has trascendido tu patrón inconsciente?

Cuando atraes una situación que te hace sentir de forma similar y actúas con mayor confianza a pesar del miedo y con más certeza a pesar de las dudas. La buena noticia es que romper cualquier patrón condicionado es tan rápido como quieras DEJAR DE TENER RAZÓN. Es incompatible crecer fuerte y sano con querer tener interiormente LA RAZÓN DE TU PARTE.

Si de alguna manera esta descripción tiene algún significado para ti, este libro te puede ayudar a trascender las limitaciones que vas a encontrar en ti mientras lo lees. También, va a depender de cuán dispuesto estés a mirarte por tu naturaleza divina. Sí, has leído bien,

TU NATURALEZA DIVINA.

Si estas palabras te chirriasen, no te preocupes, recuerda que te he pedido que no creas nada de lo que yo te diga. Yo me ponía a la defensiva durante muchos años cuando alguien me quería hablar de lo divino. Rápidamente lo asociaba a *"me quieren comer el coco"* o simplemente a que *"me querían contar chorradas"*. Ahora considero que se puede hablar de L A   N A T U R A L E Z A   D I V I N A sin necesidad de nombrar ninguna religión o doctrina espiritual. La mayoría de ellas quieren tener la razón de su parte y se comportan celosas de perder su poder y control sobre la gente. Sin embargo, **existe un espacio interior en el ser humano en el que ninguna religión ni doctrina puede entrar y cada persona conoce desde ese espacio su origen y destino, no haciendo falta que alguien venga a decírselo.**

Yo considero que descubrir las respuestas a cualquiera de tus dudas es solo el camino de retorno que necesitas deshacer para salir del laberinto de tu mente confusa y desordenada de la mano de tu amor incondicional. Y tú eres el primer responsable de crear la salida de tu laberinto. Lo aceptes o no, eres el creador de tu propia historia, no eres ni víctima ni verdugo de nada ni de nadie, sino un SER EN EVOLUCIÓN que ha creado cada experiencia hacia una consciencia mayor de sí mismo. Y cada paso que das día a día, te puede aportar la sensación de estar saliendo del laberinto que has creado para conocerte mejor, o te puede hacer sentir continuamente el fracaso, el sin sentido, o el estar lleno de obligaciones que te hacen vivir como muerto/a en vida. Todas tus percepciones son creadas y elegidas por ti, con más o menos consciencia.

Toma consciencia de tu poder principal

Si eres un buen observador/a de tus sensaciones internas, ya habrás descubierto que a veces te sientes bien y a veces te sientes mal, y que es cíclico. Pues si te has dado cuenta de esto, y pones, cada día, más consciencia en cómo te sientes y piensas, descubrirás la esencia del poder principal que tienes. Volverte consciente de ese poder principal, te conducirá a experimentar tu naturaleza divina y tu Amor Incondicional, sin los cuales estás condenado/a a vivir tus relaciones, y tu vida, con mucho malestar. Si ignoras tu

PODER PRINCIPAL te sumerges en las fantasías más absurdas que la búsqueda del amor ha generado en nuestra sociedad y que se están promoviendo desde hace más de quinientos años a través del teatro, la literatura y las creencias religiosas. LAS FANTASÍAS QUE NUESTRA SOCIEDAD NOS ENSEÑA EN NOMBRE DEL AMOR ESTÁN CADUCAS y son la raíz del noventa y nueve por ciento del malestar en las relaciones humanas y de pareja. Y son también la semilla de enfermedades tan comunes como el cáncer, la presión arterial alta o los problemas visuales.

Si buscas claridad para saber lo que te pasa a ti y a tu pareja, necesitas encontrar primero esa nueva claridad en tu corazón. *Existe un motivo por el que repetimos los patrones inconscientes y por el que nos damos de bruces insistentemente contra la misma piedra en nuestras relaciones. Tú necesitas descubrir cuál es el tuyo.* Mi deseo para ti es que encuentres el camino de salida de tu laberinto y que estas páginas te devuelvan una imagen más grande de ti, pues las ideas y pensamientos que resuenen contigo se deben solo a que esa sabiduría está ya en algún lugar de tu corazón.

Gracias.

Óscar A. Durán Yates

PRIMERA PARTE

CUATRO PRINCIPIOS UNIVERSALES
para las relaciones humanas y de pareja

AMPLIANDO LA PERSPECTIVA
del TIEMPO, del ESPACIO
y de TU NATURALEZA

Principio I. Nada es lo que parece

Si de verdad tienes interés en entender el mundo de tus relaciones humanas y de pareja, es imprescindible que amplíes tu perspectiva en todas direcciones. Es necesario que hagas el ejercicio de ponerte en un estado interior neutro, receptivo y lo menos a la defensiva que puedas. Permítete mostrar tu propia vulnerabilidad. Considera que lo que has aprendido y crees que sabes, forma parte también del conocimiento que te está dificultando ir al siguiente nivel en tu vida. Con lo cual, es muy probable, que parte de ese conocimiento necesite ser reciclado al igual que tú necesitas ensanchar aún más tu visión de ti para hacerla más completa.

Uno de los regalos que yo recibí con la separación de mis padres fue conocer el libro EL PRINCIPITO. Hasta los 10 años me pasé escuchando una versión audio-libro en casete del cuento y me quedaba atentamente escuchando cuando el zorro se despedía del Principito diciéndole *"lo esencial es invisible a los ojos, solo se ve bien con el corazón"*. En esos momentos no entendía muy bien el significado de esa frase, pero no me dejaba indiferente. Y a medida que he ido creciendo ha ido cobrando un significado más amplio y sutil; considero que fue la afirmación que me guió en la infancia y aún hoy lo sigue haciendo. Esta frase guarda, para mí, una sencilla enseñanza: NADA ES LO QUE PARECE.

La evolución de la humanidad

A lo largo de la historia hay innumerables descubrimientos que han destruido las creencias limitadas que habíamos asumido de cómo se suponía que eran las cosas. El estudio de los fenómenos de la naturaleza nos ha dado perspectivas nuevas de prácticamente todo lo que nos rodea. El concepto que teníamos del mundo y de nosotros mismos se ha ido transformado con El transcurrir de la historia de nuestra humanidad. ¿Te has dado cuenta de la gran perspectiva que fue en su día cuando se conoció la existencia de los microbios? ¿No te parece otra gran perspectiva cuando fuimos capaces de retratar las primeras galaxias y estrellas vecinas? E igualmente, fue otra gran perspectiva haber visto las profundidades de nuestros océanos.

Uno de los descubrimientos más recientes se derivó del estudio de las propiedades de la materia sólida. Las personas que estudiaron el fenómeno descubrieron que cualquier estructura material estaba formada principalmente por espacios vacíos. Se asombraron cuando midieron que la distancia interior que había entre una partícula material y otra podían ser tan grandes como la distancia entre las gradas de un estadio de fútbol y el centro del campo. De este descubrimiento se dedujo que la materia sólida que percibimos es prácticamente hueca, sin embargo esa no es la impresión que causa a nuestros sentidos. LA REALIDAD MATERIAL, pues, NO ES LO QUE PARECE.

Lo magnífico de los descubrimientos es que suelen producir la ruptura de creencias colectivas, y eso hace avanzar a la comunidad. Y aún, algo mucho mejor, es que no son algo de la historia pasada si no que en la actualidad están ocurriendo cada día y de manera más acelerada que antes, con lo cual, necesitamos estar más atentos para que podamos romper nuestras creencias a medida que aparecen esas nuevas perspectivas, de lo contrario, viviremos en una vida presente con las creencias de un pasado que no existe. La gran ventaja que tenemos actualmente gracias a la tecnología e internet, es que salen a la luz eventos que no son admitidos aún, con lo cual, a pesar de que internet pareciese un canal no oficial de la verdad, es un canal de difusión que fuerza la aparición de la verdad públicamente. Existe un desfase importante en la transmisión de los conocimientos que se enseñan en las instituciones oficiales y el conocimiento actual que realmente la humanidad tiene de sí misma. Además, la enseñanza reglada está regida por valores supeditados a intereses económicos y desfasados en relación a la economía del futuro. La educación institucionalizada forma la mente y apaga su creatividad natural limitando nuestra forma de pensar para que veamos la realidad de la forma que nos cuentan que es. LA REALIDAD SE DESCRIBE CON PARADIGMAS QUE ESTÁN CADUCOS o con ideas que están desconectadas de nuestra vida. Se pasa mucho más tiempo estudiando los acontecimientos pasados o alentando el conformismo de una vida segura que alentando a los alumnos a crear un futuro deseado con poder. Por otro lado, la mayoría de los conocimientos que recibimos son asumidos como verdaderos pero pocas personas contrastan realmente la veracidad de los mismos. Por ejemplo, cuando fuiste al colegio te enseñaron que la tierra era redonda, sin embargo, ese no es el aspecto que presenta la tierra para tus sentidos sensoriales. Vivimos en una semiesfera en movimiento constante pero solemos ignorarlo en nuestra cotidianidad porque nos parece insignificante, simplemente lo damos por hecho, pero te recuerdo que hace tan solo cinco siglos a quien se atrevía a decir que la tierra era redonda le costaba su vida.

Cuando un descubrimiento no ha sido aceptado por NUESTRA AUTORIDAD PÚBLICA, no se enseña en el colegio ni se pone a disposición de la gente. Por ejemplo, internet cambió nuestros paradigma desde hace solo veinte años cuando empezó su andadura con el ciudadano de a pie, pero la tecnología de Internet existía muchísimos años antes. Mira las posibilidades que ahora hay y que no había hace solo dos décadas. Date cuenta que la segunda generación de seres humanos que han nacido en la sociedad de las telecomunicaciones y de los móviles inteligentes está empezando el parvulario. Ellos, querido/a lector/a, cuando cumplan cuarenta años, podrán ver los años de tu infancia e incluso esta época presente, como una nueva "prehistoria de la humanidad". Y dentro de trescientos años podríamos ser recordados como el RE-RENACIMIENTO o los inicios de una nueva era para la humanidad.

¿Te importa el mundo en el que estás?

Quizás a ti no te parezca que cada día de tu vida está creando el futuro de este planeta. Quizás a ti no te parece que tienes el poder de impactar en el curso de su historia. Quizás a ti te parece, como a la mayoría, que eres más pequeño de lo que realmente eres. Incluso puede que no te diga nada el hecho de que la materia parezca sólida y esté casi hueca, pero este planeta es una escuela de consciencias y tú eres el/la único/a que puede evaluar el grado de CONSCIENCIA GLOBAL DE HUMANIDAD que tienes y qué destino estás creando para tu vida y para la evolución del planeta. Pocos se dan cuenta de la relación que hay entre no atreverse a dar el paso que les gustaría en su vida y las enfermedades y malestares físicos que confrontan. Seguir tus miedos tiene un precio. Seguir tu corazón tiene otro precio. En ambas elecciones hay dolor-placer y por lo tanto evolución y crecimiento, pero el resultado vivido es muy diferente.

En tu relación de pareja ocurre lo mismo: lo que crees que es el problema, no es lo que parece. A ti te parecerá que te enamoras de una persona, al igual que te parecerá que te resientes de una persona que *"se comporta de una forma muy distinta que cuando la conocí"* y, quizás, te habrás dicho:

- ¿Cómo me pude enamorar de esa persona?
- Yo no sabía que era así…
- Ya no es quien era…

Pero, reflexiona un segundo:

- ¿No sabías que era así? o ¿No viste que era así?
- Y tú, ¿cómo eres? ¿No haces lo mismo de alguna forma a otros?
- ¿Y qué te gustaría ser a ti?

También, es posible que te parezca que te hace falta tener a alguien en tu vida para ser feliz, que una buena relación dura toda la vida, o que si tienes un hijo/a a lo mejor las cosas se van a arreglar en la relación. Pero lo que en verdad significa cada una de las fases del

AMOR, incluyendo la fase de la ruptura, no es visible a simple vista por las personas, sin embargo es más sencillo de lo que parece pero muy, muy, muy diferente a lo que la gente asume que es.

Del mismo modo que la evolución de la humanidad se podría contar desde la HISTORIA DE LA CURIOSIDAD Y EL DESEO DE DESCUBRIR el misterio que nos rodea, tu evolución personal pasa por DESPERTAR TU CURIOSIDAD Y EL DESEO DE DESCUBRIR EL MISTERIO QUE ERES TÚ. Existen aún muchos territorios sin explorar, tanto en la tierra como en nuestro Universo, pero sin duda alguna, EL GRAN MISTERIO por explorar es tu propia consciencia.

Es muy sano que desarrolles tu habilidad de exploración personal y tu capacidad de conocerte a ti mismo/a porque, al igual que ocurre con la realidad y en tu relación de pareja, NADA ES LO QUE PARECE TAMBIÉN EN TU INTERIOR, fuente de donde salen tus vivencias. De aquí la importancia de auto-observarte en tus pensamientos y en tus reacciones sentidas y vividas durante la interacción con otros: pareja, padres, hermanos/as, amigos/as, compañeros/as de trabajo, jefe/a, etc.

Obsérvarte a ti mismo

La habilidad de auto-observación no se debe confundir con el hecho de controlar las emociones. Se diferencia el control de la auto-observación, en que el primero es una tarea muy cansina y suicida que fomenta el estrés y la preocupación, mientras que la segunda es una actitud que fomenta la confianza en ti y la serenidad. Las personas amplifican su estrés por el miedo de ser ellas mismas. Están más preocupadas de lo que piensan otros, pendientes de no ser rechazadas o de vivir sin equivocarse, que se someten a una presión interior inconsciente muy alta que la pagan con su propia salud. Los hospitales o centros de salud de ningún país tienen plazas suficientes para alojar a todos los enfermos de su sociedad, ni siquiera la sanidad privada podría. La enfermedad física está mucho más conectada con el malestar emocional de la persona de lo que parece. La actitud mental inconsciente de "NECE-

SITO CONTROLAR" arruina a los seres humanos y los mantiene en la pobreza no solo material sino espiritual, es decir sin la esperanza de que ellos pueden hacer lo que se propongan. La inversión de energía y tiempo que un ciudadano medio en Occidente invierte para "parecer alguien" ante los ojos de los demás, en controlarse a ellos mismos o en querer controlar a otros es muy alta y, por lo tanto, el precio individual que pagan es ansiedad, depresión, frustración o pobreza. Todas ellas desembocan en el mismo destino: no sentirse bien, también llamado ENFERMEDAD.

Este principio de relatividad de NADA ES LO QUE PARECE, también se extiende al fenómeno de la auto sanación. En el mundo científico se conoce como EFECTO PLACEBO*. Este hecho se ha conocido al estudiar los efectos que tienen ciertos medicamentos sobre los pacientes observando que las personas que se han curado son las que habían tomado una sustancia inocua y las que probaron el medicamento han enfermado más o no les ha hecho ningún efecto. ¿Cómo es posible esto? Parece que la actitud de DESEAR SANAR es la que realmente detona la curación física con más fuerza que la de cualquier medicamento. Sanar tus relaciones de pareja tiene mucha relación con sanar una parte de ti internamente. TUS HERIDAS EMOCIONALES te generan sufrimiento y malestar; si las continúas ignorando, serán las que se manifestarán en tu vida a través de algún tipo de enfermedad. La enfermedad te da la última oportunidad de hacerte cargo de ellas, por eso, *incurable es curable desde el interior, no que no tiene curación.*

¿Te gustaría aprender a desarrollar esa actitud de desear sanar? Hoy en día es un aprendizaje personal al margen de la formación institucionalizada, pero con independencia de la fuente adonde vayas a beber, si obvias la existencia de tu poder principal, seguirás ignorando una parte importante del misterio que se esconde en tu forma humana.

---

*RAE. Placebo

m. *Med.* Sustancia que, careciendo por sí misma de acción terapéutica, produce algún efecto curativo en el enfermo, si este la recibe convencido de que esa sustancia posee realmente tal acción.

Principio II. Ni principio ni fin

El árbol de la sabiduría no tiene ninguna etiqueta.

Es ALGO QUE NO SE PUEDE DIVIDIR, es UNA SOLA COSA.

Igual arriba, igual abajo

Antiguamente en Grecia el conocimiento de la realidad era agrupado por LA FILOSOFÍA que, según se describe etimológicamente, significa *"amor por la sabiduría"*. Y desde mucho, mucho atrás, de maestros a discípulos, que luego se convertirían en maestros de otros alumnos, la curiosidad no ha conocido límites. En la actualidad hay tantas disciplinas derivadas de la filosofía como aspectos de la realidad físico material y del mundo intangible que alguien quiera explorar.

¿Tienen algo en común todas las disciplinas?

¿Estudian el mismo fenómeno desde perspectivas distintas?

¿Cabría la posibilidad de que exista una misma sabiduría compartida por todas?

El árbol del conocimiento coloca etiquetas y clasifica lo conocido.

Divide TODO, EN TROZOS – Y CADA PARTE es algo SEPARADO

TÚ, YO, ELLOS…

En mi parecer, en todos los corazones humanos, habitan las mismas preguntas y dudas, lo único que cambia en unos y en otros son las respuestas con las que cada uno hace suya su verdad. Y cada "verdad asumida" es hija de decisiones tomadas que se archivaron en la mente. Mientras esas decisiones son ejecutadas, condicionan y determinan las experiencias que vivirá la persona. Así se crean los patrones de conducta, los hábitos, las formas de pensar y de sentir que conducen a las personas al destino que viven hoy. Si en tu relación, o en otras áreas de tu vida, no te satisface lo que tienes, quizás es el momento de que pares LA EJECUCIÓN DE TUS DECISIONES PASADAS y de que ELIJAS NUEVAS OPCIONES. Si tú no eliges conscientemente tu próximo destino, serás tan volátil como la voluntad de otros.

Existe un fenómeno que nuestra ciencia oficial lo ha llamado la segunda ley de la termodinámica, que dice: *"la energía y la materia no se crean ni se destruyen, solo se transforman"*.

¿Cómo aplicarías este principio a tu existencia vital?

¿Existe una parte de ti que no se crea ni se destruye aún si incineran tu cuerpo?

¿Este principio es el mismo que explicaría la conservación de tu SER INTANGIBLE?

Este descubrimiento, quieran o no los científicos, abre la consciencia de las personas de forma sutil hacia el fenómeno de la inmortalidad. Y quizás, alrededor de este misterio es donde se amontonan todas las preguntas que al ser humano le gustaría conocer y responder.

INMORTALIDAD – ¿LA MUERTE IMPLÍCITA?

INMORTAL – ¿LA MUERTE DENTRO DE LA VIDA?

¿LA VIDA más allá de LA MUERTE?

Habrás de sobra escuchado que la energía y la materia son DOS FORMAS DE LA MISMA COSA; lo principal que las diferencia es una característica específica llamada *frecuencia de vibración*. Cuanto más alta sea su frecuencia de vibración más energía tiene y cuanto menor su frecuencia de vibración menos energía y más densa es. Einstein decía que la materia es luz congelada. Y sus estudios sobre el universo le llevaron a formular:

$$E = m.c^2$$

Que significa: **la energía es** igual a **la masa** multiplicada por una **constante al cuadrado**.

Él demostró que un volumen de masa se podría convertir en energía y viceversa, que la energía se podría transformar en materia. Este descubrimiento recoloca el punto de vista del ser humano sobre sí mismo. El hecho de que nuestra masa corporal pudiera convertirse en energía significaba que un cuerpo de 75 kg, puede generar la energía eléctrica necesaria para iluminar a una capital de ciudad como Madrid durante algunas semanas. Esta sencilla conexión, entre nuestra masa corporal y nuestro potencial energético, abre nuestra mente para empezar a aceptar que tenemos un poder implícito más grande del que nos habíamos imaginado.

En las matemáticas, ni principio ni fin, se describe como el infinito, y tiene la forma de un ocho tumbado. Este "número" informa de que existe algo que contiene todo y ese todo se puede representar objetivamente así:

Una experiencia que me sugiere este símbolo es, que si lo contorneas con tu mirada por el borde siguiendo la línea, ésta sigue una trayectoria que sube hasta alcanzar el punto más elevado, y vuelve a bajar inmediatamente, para subir en sentido contrario al punto más elevado del otro lado y cuando has llegado arriba vuelves a bajar nuevamente para subir otra vez, pasando por el punto donde "empezaste a mirar". Y así, repetidamente, puedes estar en esta especie de bucle, subiendo y bajando indefinida e indeterminadamente. El infinito es como un símbolo que indica que solo hay una opción: subir y bajar... y volver a subir, para volver a bajar...

En cierto sentido, el infinito también puede ser visto como un símbolo que representa la unión de dos aspectos complementarios. Y la idea de los aspectos complementarios me evoca la imagen del conocido Ying-Yang.

Este símbolo contiene la sabiduría inmortal que transciende el entendimiento racional del ser humano. Y transciende también el intelecto donde habita la curiosidad y el deseo por descubrir qué es verdad. Bajo el prisma de esta sabiduría inmortal, puedes hablar de la verdad como lo que se esconde entre mentira y mentira. Y puedes también cuestionar la relatividad de todo lo que acontece, tanto por sus bondades como por las maldades que genere.

El hecho de que sea un círculo amplifica el misterio de la eternidad y la inmortalidad porque ¿cuál es el principio y el fin? ¿Qué parte de la línea que contornea el círculo es el punto de inicio y el punto final? La paradoja del círculo es que el punto que inicia y cierra están inseparablemente juntos, uno al lado del otro.

El infinito, sin embargo, no limita su presencia a un contexto específico, sino que se encuentra donde lo busques. Por ejemplo, si limitas una distancia por una recta, entre un punto "A" y un punto "B" por unidades numéricas:

A _____ B

0 1

¿Cuánto tiempo tardarías en escribir todos los números que hay entre el 0 y el 1?

Si incluyes decimales, no es una tarea que acabes alguna vez. Podrías estar toda tu vida presente y no habrías llegado a escribir ni el 1% de todos los números que caben entre el cero y el uno. Es una tarea que dura una eternidad. El hecho de que haya una tarea que nunca puedes acabar porque su realización dura una eternidad, es un indicio de que la eternidad puede existir.

La eternidad dentro de una relación de pareja

Cuando observo a una pareja, me gusta verla como dos líneas paralelas que trazan entre sí puntos de conexión, similares a las tablas que sujetan las dos guías sobre las que se construye una vía de tren. Mientras esas conexiones existan la vía existe en forma de camino con una dirección. El camino andado en una relación es similar al recorrido entre un punto A y un punto de B. Aparentemente, el inicio de una relación se da cuando dos personas lo deciden, pero ese no es un inicio absoluto, sino relativo, porque el camino que se inicia conjuntamente es parte de un camino más grande que es la vida de cada uno. Los dos traen su recorrido personal de otro destino anterior, cada cual viene con su pasado a cuestas como materia prima para determinar la dirección que quiere darle a su camino. Si hay acuerdo empiezan a construir la vía conjuntamente, y la experiencia de hacer el camino al lado del otro va transformando a cada uno de alguna manera. Pero como ocurre con las vías del tren, en ciertos puntos del camino hay cruces que se pueden aprovechar para reafirmar la elección de seguir juntos, o para tomar la dirección a un destino diferente. ¿Es aquí donde acaba una relación? No observo que sea así en la vida real con mis clientes. Las personas a pesar de la separación, dejan una huella imborrable en el otro que se manifiesta de mil y una formas, en un sentido aparentemente positivo o negativo. Eso que se dejan mutuamente le servirá a cada uno para construir la siguiente parte de su camino. No hay realmente un final para una relación, existe solo un cambio de forma de la relación. En la psique de los dos queda archivado el camino andado y en la consciencia queda registrado el aprendizaje adquirido por cada uno, la mezcla de las dos se convierte en el impulso de energía para continuar sus vidas.

He observado que incluso entre las personas que ya no tienen contacto entre sí físicamente, sigue habiendo una forma de comunicación inconsciente, a cierto nivel energético, en el que cada cual a su manera, recuerda al otro de una forma específica mientras siguen sus caminos. Matemáticamente, dos líneas rectas nunca se cortan pero, según parece, se acaban cruzando en el infinito. Yo considero que **una relación no tiene realmente un final absoluto.**

Ni tarde ni temprano, el momento perfecto es ahora

Las reflexiones que te estoy compartiendo han sido las que a mí me han ayudado a tener una visión más clara y las que también han ayudado a muchas otras personas con las que he trabajado a encontrar su verdadero equilibrio y naturaleza. Sin embargo es extremadamente difícil explicar lo inexplicable y para comprobar si estas ideas pueden ser verdad para ti, necesitas ponerlas a prueba. Hacerlo solo es muy complicado porque la gente suele tener hábitos que no son compatibles con revisar sus creencias, más bien, viven con hábitos de los cuales no son muy conscientes la forma en la que están construyendo su vida y de pronto un día se dan cuenta que están en un lugar en la vida en el que no habrían querido llegar. Cuando trabajo con mis clientes, encuentro que sus actitudes ante ciertos hechos son similares aunque su procedencia personal sea diferente. En cierta manera podría decir que existen constantes, x, y, z en la consciencia de las personas. Esto me hace considerar que en el fondo no somos tan diferentes aunque la apariencia y procedencia sean opuestas.

Una de esas constantes que están a menudo es que las personas desean ser recordadas por aquellos que amaron. En la ruptura de una relación, a pesar del resentimiento que separó a la pareja, encuentro que en sus corazones siguen el deseo de que la otra persona le reconozca su contribución. Los dos necesitan sentirse reconocidos por el otro no tanto por lo que hicieron o dejaron de hacer bien, sino por lo que realmente son. Personalmente considero que el deseo de DEJAR UNA HUELLA o de SER RECORDADO de alguna forma afectuosa por las personas que amaste tiene una relación directa con la naturaleza inmortal del alma y su evolución.

Otra de las constantes que encuentro cuando trabajo con las personas es que perciben que ya es demasiado tarde para vivir lo que les hubiese gustado. Cuando estas personas profundizan de verdad en lo que están afirmando, suelen encontrar, o que realmente eso que decían que querían no les importaba tanto o que esa forma de pensar solo es una EXCUSA REFINADA para seguir paralizados por el miedo que tienen de hacer lo que les gustaría.

Es demasiado tarde para separarme...

Es demasiado tarde para tener dinero...

Es demasiado tarde para convertirme en lo que siempre soñé.

"Es demasiado tarde para..." es una afirmación que la gente se repite muy a menudo, pero lo que realmente afirman estas personas cuando hablan de alguna de sus renuncias es:

Todavía no veo claro cómo haría esto que quiero.

Todavía no me atrevo a tomar esa decisión.

Todavía tengo una limitación que no he superado.

¿Qué les hace creer que es tarde? ¿Cuál es el impedimento que les detiene para convertirse en los primeros en hacer eso que no es normal a su edad? ¿Cómo puede ser TARDE o TEMPRANO en la eternidad de tu alma?

Las **dos limitaciones principales** que estas personas necesitan trascender son las siguientes:

1º Dejar de verse como seres limitados. Necesitan mirarse como una potencialidad infinita no limitada a su realidad física. Todas las personas tienen la necesidad natural de SENTIR LA PRESENCIA DE SU ALMA.

2º Cultivar los hábitos que le llevarán a crear la experiencia que todavía no se ven haciendo. Esta segunda limitación que necesitan superar las personas que piensan que es demasiado tarde se refiere a que empiecen a actuar de forma diferente. Se trata de cultivar hábitos nuevos. Todas estas personas son personas con éxito en otras áreas y que han conseguido ese éxito a base de repetir muchas veces los mismos hábitos que les llevaron allí. Un hábito es una acción repetida muchas veces.

¿Qué necesitas percibir para empezar a hacer lo que deseas?

Si te das la oportunidad de crear las primeras acciones básicas para hacer lo que te gusta, desde la diversión, como un momento dedicado a ti, puedes realmente darte cuenta de tu verdadero potencial para eso que quieres. Es solo cuestión de empezar, luego de seguir constante y finalmente dejarte llevar por las señales que la vida te manda.

Quienes se dan esta oportunidad experimentan un poder de transformación personal milagroso, duradero y muy inspirador. Alguna de esas personas se convierten en un ejemplo que inspira a otros a hacer lo mismo y pasan a la inmortalidad en los anales de la historia porque hicieron lo que parecía imposible.

¿Cuándo existe realmente algo?

¿Cuándo lo ves o cuándo crees en la posibilidad de que ocurra?

Y lo que vives ¿es real? o ¿es un sueño?

La tercera constante que me encuentro es que, muy a menudo, las personas sienten que no son capaces de hacer algo. En su mente hay una creencia del tipo "no puedo" o "no soy capaz" y una renuncia a algo por la sensación de fracaso en un pasado cercano o lejano.

No me quiero extender más con este tema pero si te interesa profundizar acerca de las creencias más comunes que limitan a las personas o estás interesado en descubrir las que te están limitando a ti, mira en la siguiente dirección www.bonustriunfaenelamor porque pondré a tu disposición más material.

Principio III. Todo es percepción

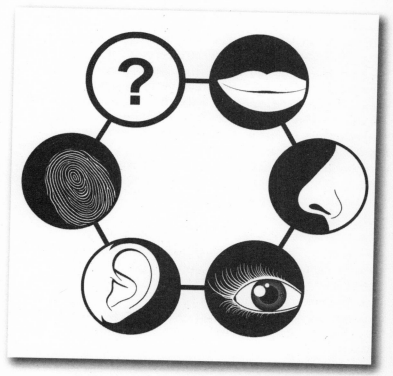

Estímulo sensorial – Respuesta motora

Definición en el diccionario de la RAE.:

Percepción: *sensación interior que resulta de una impresión material hecha en nuestros sentidos.*

Esta descripción considera que las sensaciones internas se originan por las impresiones sensoriales que se producen a través del cuerpo físico: vista, oído, tacto, gusto y olfato. La característica que tienen nuestros 5 sentidos primordiales es que son bio-dispositivos inteligentes programados para captar frecuencias de vibración del mundo exterior; la información recogida llega al cerebro y después de ser procesada por una parte de la mente responde y produce una reacción en el cuerpo físico.

Cada uno de los sentidos está diseñado para captar un rango de frecuencias de vibración. Por ejemplo, la vista capta frecuencias que van desde 400 a 700 nanómetros, el oído capta de 20 a 20.000 hercios, etc. Por debajo y por encima de esas frecuencias nuestros sentidos no captan información. Es decir, los sonidos que producen una frecuencia superior a 20.000 hercios no los oímos y tampoco vemos las frecuencias de la luz por debajo de las frecuencias del color rojo, infrarrojos, o por encima de la frecuencia del color violeta, ultravioletas. Nuestros ojos son ciegos a un espectro muy amplio de la luz, nuestros oídos son sordos a frecuencias de sonido y nuestro tacto, gusto y olfato son también limitados en captar texturas, temperaturas, olores y sabores.

Nuestros sentidos tienen acceso a una porción limitada de todo lo que existe en el universo y ese conjunto de frecuencias de vibración captadas de forma natural es lo que se viene a llamar LA REALIDAD FÍSICO MATERIAL, que es el mundo tangible en el que vivimos. Todo lo que está por debajo o por encima de esas frecuencias de vibración existe, pero es un universo intangible para nuestros sentidos porque no podemos conocerlo a través de ellos.

Lo tangible e intangible está unido de forma inseparable y TODO LO QUE EXISTE se manifiesta a través de una frecuencia de VIBRACIÓN. Las fronteras entre LA REALIDAD FÍSICO MATERIAL y La REALIDAD COMPLETA están delimitadas por el rango de frecuencias de vibración que los bio-dispositivos evaluadores captan.

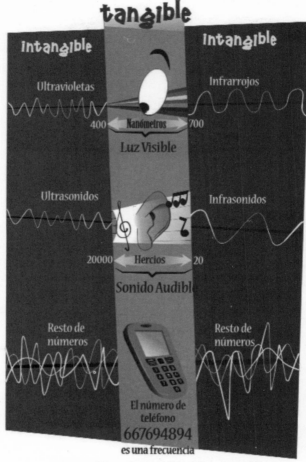

Lo tangible es inseparable de lo intangible y coexisten conjuntamente

consciencia

Todo lo que existe, es vibración.

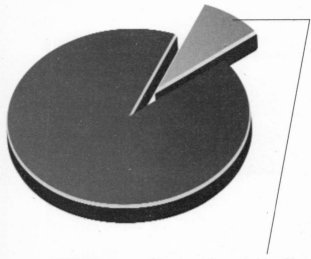

La **realidad físico material** es el medio a través del cual los sentidos se realizan. El trocito, es la REALIDAD FÍSICO-MATERIAL que nuestros sentidos captan de todo lo que existe

El círculo entero es la REALIDAD COMPLETA. La **realidad completa** es todo lo demás incluido lo que todavía no conocemos.

Eres creador de realidades tangibles

Tus sentidos materiales, literalmente, dan forma tangible a la ENERGÍA-MATERIA que te rodea. El mundo aparentemente concreto, medible, objetivo y tangible adopta la forma como lo percibimos, pero no está limitado a esa forma. Si en lugar de los ojos que tienes, sensibles a las frecuencias de vibración que actualmente captas, tuvieses unos ojos que solo captasen las frecuencias de vibración de los rayos X, y tu sentido del tacto estuviese solo programado para captar las frecuencias de vibración de los elementos principales que constituyen los huesos (calcio, fósforo y colágeno) el aspecto que tendría para ti la energía-materia que te rodea sería completamente distinto; ¿cómo verías a tu pareja con estos dos nuevos bio-dispositivos? La verías de una forma similar a como ves una radiografía, y la piel de tu pareja se volvería intangible a tu tacto pudiendo acariciar sus huesos con tu mano. Bajo estas circunstancias lo visible se volvería invisible para el observador que evalúa y percibe.

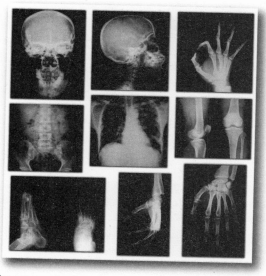

Así verías a tu pareja si tus ojos solo captasen frecuencias de Rayos X

La creación de la realidad es instantánea porque se produce a la velocidad de la luz; los bio-dispositivos, quizás inconscientes del fenómeno, crean una realidad aparentemente tangible, sólida, visible y segura en la mente del observador. Yo denomino a este fenómeno, el primer nivel de creatividad inconsciente. Otro fenómeno similar, es el que se produce en las pantallas del cine. El movimiento continuo es el resultado de proyectar en una pantalla 24 fotografías fijas en el tiempo de un segundo, sin embargo, la vista, no capta fotograma a fotograma, porque la velocidad a la que se proyectan las fotos es suficientemente alta. El efecto que se produce en el cerebro es como si delante de ti hubiese seres bidimensionales moviéndose, cuando en realidad ahí no se mueve nada, salvo la bobina del proyector donde pasa la película de forma continua a una velocidad de 1.440 fotos fijas por minuto.

Hay muchísimos más ejemplos que puedes imaginar que te harían corroborar que la realidad físico material es francamente un fenómeno "ilusorio" y mucho más relativa de lo que parece. Nosotros percibimos una realidad continua, pero la esencia de la realidad es discontinua. Tú ves un vaso con agua como una sustancia líquida continua, pero se debe a que tus ojos no tiene la posibilidad de ver las moléculas del agua. En caso de que tuviesen esa habilidad verías un vaso lleno de objetos formados por pelotitas unidas de tres en tres, H_2O.

Usando el mismo ejemplo del cine, suelo utilizar una idea sugerente para ilustrar el fenómeno de la aparente solidez y quietud de la realidad físico material. En términos absolutos, la velocidad más rápida que se conoce es la velocidad de la luz, que es 300.000 km por segundo. Si te pones a pensar en esta cifra astronómica durante unos segundos y tomas consciencia de su magnitud, te aseguro que no te dejará indiferente. Para ayudarte te dejo estos datos: si la circunferencia de la tierra en el ecuador es aproximadamente 40.076 km, la velocidad de 300.000 km por segundo significa que un objeto a esta velocidad da la vuelta a la tierra 7 veces en menos de un segundo.

En el cine, el movimiento que estamos acostumbrados a ver en la pantalla se genera con 24 fotos en un segundo (24 f/s). Para mostrarnos una imagen en cámara lenta, se necesita aumentar el número de fotogramas por segundo, con lo cual, si proyectas 48 fotogramas por segundo es la mitad de lento, si proyectas 96 fotogramas por segundo es 4 veces más lento, si aumentas a 192 fotogramas en el mismo tiempo, es 8 veces más lento. Si proyectas 19.200 fotogramas/seg el movimiento en la pantalla de cine se vuelve 100 veces más lento de lo que lo ves con la velocidad normal de 24 f/s.

¿Te imaginas ver tu película favorita a esta velocidad?

A medida que aumentes el número de fotos fijas que proyectes en un segundo, la velocidad se ralentiza y tu vista empieza a ver una imagen fija, que de lo lento que se mueve en la pantalla, parece que no se mueve. Si aumentas a 300.000 el número de fotos que proyectas en un segundo, te aseguro que antes de ver un movimiento de cambio en la pantalla te habrás aburrido de ver que en la pantalla no ocurre nada. Habría tanta información delante de ti, tanto detalle proyectado sobre la pantalla que ves quietud; sin embargo, la realidad de la bobina del proyector es que está procesando 18.000.000 de fotos fijas en el tiempo de un minuto, es decir, miles de miles de fotos fijas a una gran velocidad por segundo. Ahora imagina por un momento que nuestro cerebro fuese la pantalla sobre la cual se proyectan las miles y miles y miles de unidades mínimas en forma de información que recibe a través de nuestros ojos, que equivaldrían al proyector. A esa velocidad, el cerebro interpreta la quietud o continuidad y nosotros percibimos la ilusión de la realidad físico-material del mismo modo.

El concepto derivado de TODO ES PERCEPCIÓN es equivalentemente tan revolucionario como el de la redondez de la tierra. Para los sentidos aparentemente no es así y para el intelecto racional de hace quinientos años imaginar que vivíamos en una esfera era tan loco como hoy considerar que la realidad sobre la que caminas es una ilusión de tus sentidos. Recuerda que la sociedad de aquella época llegó a matar a algunos cuantos. Este nuevo concepto también calará en la sociedad y estoy seguro que se llegará a enseñar en los colegios el infinito potencial que tiene ver la realidad física-material desde esta perspectiva.

Hablar de que todo es percepción es muchísimo más que decir que la realidad es una ilusión. Si yo te dijese que el suelo sobre el que caminas se materializa en el momento que lo percibes ¿pensarías que soy muy imaginativo y que se me ha ido un poco la cabeza o podrías considerar esa posibilidad? Cuando Julio Verne escribió *Viaje hacia la luna* muy pocas personas creyeron que viajar a la luna sería alguna vez una realidad cercana. Sin embargo, 100 años más tarde ese paradigma cambió y actualmente estamos planeando que pisaremos Marte y algún día también saldremos del sistema solar e incluso fuera de nuestra galaxia.

Eres responsable de lo que sientes

Hay dos formas fundamentales en la que este nuevo paradigma afecta a la psique y al comportamiento humano. Si todo es percepción y tú creas el aspecto de la realidad que percibes, significa que tú eres un observador inconsciente de esa creación. Y, aunque seas inconsciente del proceso, participas de ese proceso creador, con lo cual tú tienes una responsabilidad compartida en el resultado de lo que percibes y por supuesto en lo que te hace sentir. Eres responsable de lo que sientes y de lo que se deriva de ahí: es decir, lo que piensas, lo que haces o no haces, lo que dices, decides, eliges, etc. Te voy a poner un ejemplo: si hueles una flor y tu pareja huele la misma flor, podréis hablar de vuestra experiencia de oler la flor con cierta similitud e incluso podéis poneros de acuerdo en lo que se siente, pero la experiencia de cada uno trasciende cualquiera de las palabras que usaréis para describir los dos eventos únicos y diferentes. Oler una flor es un acto simple, pero en el acto de percibir la flor se esconde el proceso complejo que lo hace posible: las moléculas que impresionan tus pituitarias, la información que se traduce a impulsos eléctricos que recorren el sistema nervioso, la impresión de los impulsos en el cerebro y la mente, la interpretación de la información por la razón y el instinto, la aparición de la respuesta al estímulo y el envío de la respuesta al sistema motor. Tú estás creando, por el hecho de oler, toda esta compleja experiencia de una forma simple. El hecho de considerar que TODO ES PERCEPCIÓN también te hace consciente de tu poder creativo desde la raíz de donde procede: TU INTERIOR. ¿Qué quiere decir esto? Que una flor y su olor será para ti lo que tú percibas, es decir lo que te hace sentir.

Los sentidos primarios de nuestro cuerpo físico separan al OBSERVADOR (Tú) y LO QUE OBSERVA (La flor). Lo que se observa es algo que está más allá de la frontera del cuerpo físico del observador por lo que el observador se percibe como algo diferente a lo que percibe. En este punto se produce un fenómeno y es que, a pesar de que el observador sabe conscientemente que entre lo que ve y él mismo/a hay una separación, se suele producir una IDENTIFICACIÓN u OLVIDO ESENCIAL: inconscientemente el observador hace una asociación entre su experiencia y lo que la experiencia le hace sentir, se identifica con el resultado y cree que lo que siente y lo que percibe es lo mismo. Este proceso de identificación inconsciente olvida la separación que existe y se unifica sensorialmente al evento del exterior. El beneficio de este olvido es que permite el aprendizaje en forma de creencias inconscientes. El perjuicio de este olvido es que el observador se queda limitado en una creencia. Las creencias en su sentido más puro son la base de cualquier manifestación tangible en la realidad. Si tú creas un pensamiento, es lo mismo que si coges la semilla de un fruto "x" y la pones en la tierra. Repetirte un pensamiento es como regar la semilla que dará su fruto. Las creencias son asociaciones entre una experiencia, lo que la experiencia te hace sentir y una descripción con palabras de esa experiencia. Todas las experiencias son procesadas de esta forma y tanto el instinto como la razón funcionan con un conjunto de creencias de base que configuran un filtro perceptual que el observador usará para evaluar la realidad completa y la realidad físico material. Este filtro es como EL SOFTWARE DE BASE o EL PATRÓN DE PENSAMIENTOS PRIMORDIAL que va a correr sobre la mente del observador para experimentar la realidad. El instinto y la razón se subordinan y trabajan bajo sus órdenes.

Otra forma de entenderlo es considerando que el software de base es una personalización del sistema operativo que trae tu sistema mente-cuerpo de fábrica para funcionar: la percepción del dolor y del placer cimienta las bases de lo que el observador asumirá y creerá: "qué es bueno y qué es malo", qué es "positivo y seguro" o qué es "negativo y peligroso". Esta diferenciación individual de positivo-negativo, bueno-malo, seguro-inseguro, hace que unos seres humanos se diferencien de otros, porque, por ejemplo, si a ti, cuando eres niño/a te cae agua hirviendo en tu cuerpo produciéndote quemaduras graves y además ocurre en verano, lo más probable es que asocies el calor con algo muy peligroso y de adulto/a el verano no sea la estación más grata para ti. Esta personalización única, intransferible e individual de las experiencias formará una ESCALA INVIDUAL DE VALORACIÓN con la que evaluarás las experiencias de tu vida, a ti mismo y todo lo que te rodea. Con este filtro perceptual creado desde el interior, el observador convertirá la realidad físico material en lo que el observador crea que es verdad para él a través de sus valores y sus creencias. Por esta consideración, desde esta perspectiva se dice que el observador proyectará su creación inconsciente interna (lo que asume que es verdad) sobre las experiencias en la realidad físico material (lo que experimenta). Por ejemplo, si en el momento de oler la flor, tu pareja te da la noticia inesperada de que ha decidido dejar la relación, la experiencia "oler una flor" quedará asociada a la emoción de dolor que te produzca la noticia. O si, en cambio, esa noticia estabas deseándola pero no te atrevías a dar el paso de dejar la relación, la experiencia "oler la flor" será asociada a una sensación de alivio. Entonces, ¿qué es lo que hace que una experiencia sea dolorosa o placentera? El software de base o escala de valores que cada observador ejecute para experimentar su vida. Esto significa: TODO ES PERCEPCIÓN. TODO ES EVALUACIÓN.

Tu mente es un laberinto creado por todos estos elementos

CREENCIA. Una idea asumida como verdad que actúa de forma automática en modo de pensamiento inconsciente, es decir, se ejecuta y no te das cuenta que está en ejecución.

PATRÓN DE PENSAMIENTO. Conjunto de creencias, al menos 3 pensamientos afines, asumidos como verdad que se apoyan entre sí para crear una forma específica de pensar y configuran un patrón emocional.

PATRÓN EMOCIONAL. Conjunto de patrones de pensamientos afines asumidos como verdad que se apoyan entre sí para crear una forma específica de sentir, evaluar y reaccionar en tu vida y configuran un patrón de comportamiento.

PATRÓN DE COMPORTAMIENTO. Conjunto de patrones emocionales con los que el observador responde ante cualquier estímulo que desafíe sus creencias primordiales. El patrón de comportamiento determina los resultados en la vida del observador y acota el abanico de posibilidades de atención, elección, decisión y presencia (ser y actuar).

El darte cuenta de cómo están entretejidas en tu mente tus creencias y patrones te permite evaluar el grado de consciencia que has desarrollado.

 APERCEPCIÓN. Sensación interior producida por la impresión de otros sentidos humanos menos conocidos, por fuentes menos conocidas.

¿Y de qué manera el que TODO SEA PERCEPCIÓN afecta a mi relación de pareja?

Pues de una forma muy sencilla, si todo es percepción, también lo que percibes en tu relación es percepción, es decir, una sensación interior. Esto significa que aquello que percibes de una forma es cierto, pero no es verdad porque no solo es de esa forma. Eso que no ves, si lo percibes al mismo tiempo que lo que ves te da la perspectiva global de estar percibiendo el círculo de la realidad completa. Dicho de otra forma, si percibes un dolor significa que además del dolor hay algo más, aunque no lo veas, e igualmente con el placer que percibas, además de placer, hay algo más.

Llevado al terreno práctico sería así. Si antes habíamos dicho que el observador convierte una experiencia en positiva o negativa por la interpretación de su escala de valoración, entonces en tu relación, el dolor que tu sientas no se debe a lo que haga o deje de hacer tu pareja si no a cómo interpretas tú ese hecho según tu escala de valoración. Un mismo hecho interpretado por dos escalas de valores, puede ser ambos, positivo y negativo; de este hecho natural es de donde proviene lo que los chinos dicen: crisis es igual a oportunidad. Desde esta perspectiva, tu pareja no tiene el poder de causarte dolor haga lo que haga, porque eres tú quien se lo está causando a sí mismo/a con la interpretación y eres tú, por lo tanto, quien puede hacer que algo le deje de doler, reinterpretándolo adecuadamente para tus propios intereses. Y no necesitas que tu pareja cambie. El reconocimiento de que eres tú quien tiene la última decisión para determinar si algo te causa dolor o placer es la base de tu libertad y de la responsabilidad de vivir tu vida plenamente, porque al igual que ocurre con tu pareja ocurre con todo lo que hagan los demás.

Una consecuencia directa de vivir tu vida bajo este paradigma es que aporta a tu relación un toque de autenticidad y transparencia en la comunicación pues si cada uno reconoce que es el responsable de lo que siente, se ahorran mucho tiempo en sentirse culpables porque no hicieron suficiente para que su pareja se sienta bien. O a veces es al contrario, te ocupas tanto de hacer sentir bien a tu pareja que supone una renuncia personal y te sientes culpable de haberte descuidado a ti mismo/a. Con esto no estoy diciendo que no te interese cómo se siente tu pareja ni que dejes de hacer lo que haces, solo sugiero que observes y sientas desde qué lado interior lo haces: ¿desde un miedo? o ¿desde una obligación/culpabilidad?

Nuevamente insisto en que este paradigma es realmente revolucionario y menos fácil de asimilar, entre otras razones porque es difícil de aceptar de golpe que cualquier cosa que te duela que haga tu pareja, la exime a ella de responsabilidad porque tú creas tu dolor al percibir. Pero insisto también en que he visto cómo la gente recupera su poder de forma inmediata cuando reconoce que es así. Quizás estés pensando, pero ¿y si mi pareja me pega yo soy el/la responsable? Pues sin ánimo de herir tu sensibilidad si este fuese tu caso, te diría que cuando he trabajado con personas que experimentan malos tratos, es muy habitual encontrar un fuerte auto maltrato interior de la persona consigo mismo/a y hasta que no fueron conscientes de esto y no modificaron su forma de tratarse a sí mismos/as no dejaron de atraer esa forma de agresión externa.

Lo que observo que mis clientes obtienen cuando se entrenan a percibir más allá de lo que sus sentidos captan es que desarrollan su intuición y se vuelven menos volátiles a las reacciones de otros o a lo que acontezca alrededor de ellos porque ganan foco, determinación y confianza en ellos mismos. En una palabra, se conectan con su poder. Y en su relación de pareja aumenta su deseo de conocer a su compañero/a, les ayuda a crear una comunicación más afectiva, clara, sin miedos o culpabilidades y su relación también se fortalece.

Principio IV. La vida es perfecta

Pese a cualquier adversidad que estemos viviendo en estos días, podemos sentirnos afortunados al menos por ALGO QUE TODOS POSEEMOS: LA VIDA. Sé que al decir esto no estoy ofreciendo ninguna aportación nueva a lo que es obvio, pero en caso de que hiciese mucho tiempo de que no te hubieses parado un instante de tu vorágine diaria, te invito a que busques un momento de respiro y te hagas estas preguntas:

¿Qué tengo de valor por encima de todo lo que poseo?

¿Qué tengo de valor por encima de todo lo que he perdido o ganado?

La vida es un juego

La vida es como un gran juego con muchas opciones y el planeta donde vivimos como un escenario de actuación de muchas posibilidades. Una de esas es jugar a *LA VIDA ES PERFECTA*. Y...

¿Qué significa que la vida es perfecta?

Pues que el concepto de error no tiene cabida en ningún acontecimiento que ocurra en ella, en ninguno de sus niveles microscópicos, macroscópicos o intermedios, como el de la realidad que percibimos. Jugar al juego *La vida es perfecta* es, probablemente, el más complejo de los juegos que alguna vez se pueda jugar en la realidad, porque desafía absolutamente todo lo que hemos podido aprender a través de nuestros padres, la sociedad cultural en la que crecimos y por supuesto acaba desafiando las creencias que hemos instalado en nuestro inconsciente a través de nuestra experiencia personal. Si EXCLUIMOS EL CONCEPTO DE ERROR, el miedo y la culpa pierden su lugar en el escenario y con ellas se marcharían muchas de las emociones condicionantes que nos hacen creer que la vida es más bien imperfecta. Sin lugar a dudas, para vivir sin miedo y sin culpabilidad se requiere de un entrenamiento constante.

El mayor desafío aparece cuando **entra en juego el lado invisible de la vida, lo intangible, lo que no se ve, ni se puede tocar, ni oler, ni probar y menos oír**. Este desafío confronta nuestra naturaleza humana con nuestra condición Divina, ya que si la vida es un escenario perfecto en donde no existe el error, tampoco existe la carencia ni la ausencia de nada. Sin embargo nuestro inconsciente está cargado de sensaciones que apoyan la idea de "no tuvimos o no tenemos suficiente de algo": dinero, apoyo, inteligencia, capacidad, creatividad, familia, amor.

Otra confrontación del juego *La vida es perfecta* se deriva de la pregunta

¿Quién soy yo dentro de algo que es perfecto?

Si un huevo es el organismo que se multiplica a sí mismo, suponiendo que la vida fuese un gran huevo...

¿Qué puede multiplicar un huevo que es perfecto?

La obviedad de la existencia del dolor experimentado en la vida despierta la incredulidad y hace que la duda de la perfección aparezca de la mano del sufrimiento, que es el regocijo del dolor. Pero

¿Y si ambos, dolor y sufrimiento, fuesen necesarios para que el juego tenga sentido?

Entonces la razón y la cordura justificarían que no existen "razones ni beneficios" en el dolor ni en el sufrimiento y que son, justamente, la prueba de que existe el error, la equivocación y la imperfección en la vida. Pero, realmente, lo que grita la razón entre líneas es que ningún ser humano abraza con agrado y satisfacción su propio dolor vital.

El lado invisible de la vida

Otro desafío de que no existe el error en la vida es que tampoco existe la soledad. ¿Cómo podemos sentir que estamos solos en un planeta donde habitan 6.000 millones de seres humanos? Aún estando físicamente aislados en una habitación ¿cómo podemos creer en la soledad si estamos rodeados de los 5 billones de células vivas que forman nuestro cuerpo físico? Parece que la soledad es solo el espejismo de mirarse a uno mismo como lo más o lo menos importante de la tierra y una manifestación de no haber aprendido a mirar lo que otros necesitan para relacionarte con ellos de corazón a corazón.

A lo que yo me refiero cuando hablo del lado invisible de la vida, es a todo aquello que está más allá de la frontera de lo que nuestros sentidos sensoriales físicos puedan percibir tanto por la frecuencia de vibración como por el tamaño o la forma: vista, oído, olfato, tacto y gusto.

Las moléculas del agua o cualquier forma de energía/materia que no percibimos directamente con los sentidos, aunque podamos acceder con otros medios, pertenecen a ese territorio invisible. En realidad, ese territorio es mucho más vasto de lo que podamos imaginar y a mí me sugiere la imagen del iceberg que utilizan los psicólogos cuando quieren explicarnos el tamaño de nuestra consciencia.

La punta representa nuestro consciente, y todo lo que está oculto bajo el agua, representa nuestro inconsciente. Es decir, lo que conocemos y lo que ignoramos, lo que sabemos y lo que no sabemos.

Es más que probable que LA VIDA sea una gran y única consciencia en donde está inmerso todo lo que existe y toda la potencialidad de lo que no se ha manifestado en el plano físico. Pareciera como si fuese una gigantesca matrioska que se contiene a sí misma, sin principio ni fin, en distintos niveles creados con la misma sustancia, como se fabrican las matrioskas rusas, con el mismo tronco para que la madera sufra el mismo proceso de contracción y dilatación. Entonces, dentro de esta Consciencia Universal en la que estamos inmersos, cada matrioska tiene consigo todo lo que necesita para vivir desde su perspectiva. Tu percepción particular de la vida y de tu vida ocurriría dentro de alguna de esas matrioskas.

El lado invisible, también, es aquello que no conocemos, aún cuando podamos percibirlo de alguna forma. Cuando lo desconocido convive con nosotros sin entenderlo se le llama, misterio. Y cuando el misterio finalmente es entendido con el conocimiento se le llama ciencia. La ciencia es hija del misterio y ambas coexisten alimentándose para intercambiar sentido, dirección y rumbo, como las tablas que unen las vías de los trenes. Existe una ciencia que se redirige a descubrir las matrioskas exteriores y otra ciencia que marcha en sentido opuesto indagando en las matrioskas del interior, a la que podemos también llamar espiritualidad.

Ciencia, Espiritualidad, Conocimiento y Sabiduría

La espiritualidad y la ciencia son hermanas, como almas gemelas predestinadas a ir en dirección opuesta con la confianza de reencontrarse en algún instante durante su viaje individual. En esencia, no existe distinción, salvo por el lenguaje que usa cada una. Y el lenguaje es solo una herramienta que da acceso al entendimiento de lo que cada una investiga. ¿Cómo puede haber diferencias si las dos investigan "algo" que es una misma cosa "indivisible"? Sus diferencias son más bien un pacto inconsciente de amor para desvelar retazos del gran misterio que es LA VIDA. Su reconciliación podría venir de la mano de compartirse sus descubrimientos, sus verdades, en lugar de mirar cada una sus ombligos presuponiendo que lo suyo es más importante o mejor. La ciencia cuando se refiere a lo invisible, utiliza la palabra ENERGÍA. La espiritualidad lo llama DIOS. La ciencia llama a lo visible MATERIA, la espiritualidad CREACIÓN DE DIOS. La ciencia se pregunta cómo funciona la ENERGÍA, cuál es su origen. Y para ello investiga dividiéndose a sí misma en disciplinas, porque en cada área que investiga, encuentra un UNIVERSO que no puede abarcar de un plumazo. La espiritualidad se pregunta cómo integrar a DIOS en la cotidianidad o cómo unificarse con DIOS en la realidad; y para ello se enfoca en experimentar la simpleza de una respiración y su trascendencia o en crear metáforas que tocan la sensibilidad divina de los humanos.

Así como la ENERGÍA es algo que no puede quedar encerrado ni limitado en un concepto, DIOS tampoco puede encasillarse en ninguna moral o ética, por lo tanto, en ninguna religión, creadas todas por el fanatismo. Aunque el origen de la palabra RELIGIÓN sí encierra el significado de reunir o unificar lo que se está separado, su etimología ha quedado trasnochada por la ceguera de los planteamientos y actos irracionales, basados en el miedo o en la sensación de rechazo de los líderes o sus seguidores. Las religiones más difundidas del planeta tienen en común el mismo origen: un resentimiento llevado al extremo que se convierte primero en un movimiento radical de supervivencia, luego en el deseo de dominar a otros y finalmente la voluntad de conquistar. Las instituciones nacidas de estos actos renuncian a ser el canal de reunificación o de común-unión con DIOS a favor de convertirse en fuerzas de poder, control y sometimiento.

La ciencia occidental moderna nació en los claustros eclesiásticos y paulatinamente quiso separarse de la absorbente institución que no aceptaba que LA PERCEPCIÓN DE LA VIDA ES MOVIMIENTO, CRECIMIENTO y EVOLUCIÓN. La iglesia católica se había convertido en la tiranía contra la que sus fundadores se habían revelado siglos atrás. Y la ciencia, amparándose en los resultados de sus investigaciones, valiéndose de su conocimiento y experiencia que fue acumulando lentamente, ganó la fuerza para independizarse radicalizándose hasta el punto de negar todo lo que su lenguaje no podía abarcar. Y pasó a llamarse a sí misma OFICIAL, sin darse cuenta, que, en ese momento, se estaba convirtiendo en una institución tan dogmática como la que estaba condenando.

Para mí la investigación de la ENERGÍA o de DIOS, es el conocimiento del lado implícito, oculto e invisible de LA VIDA y de los intríngulis inteligentes que crean un ojo, un dedo, una mano, una estrella, un planeta, millones de galaxias o LA SANACIÓN DEL CUERPO. Hablar de DIOS o ENERGÍA es hablar de esa parte de ti mismo que no conoces. Algunos ejemplos de que existe una inteligencia invisible que no se ve ni se conoce en su totalidad pero que está presente en cualquier parte de sí misma son: el ADN, un corazón, el cerebro, el cuerpo humano como sistema coordinado o la naturaleza de los ciclos de verano e invierno. Esta inteligencia es una cualidad que difícilmente se puede negar, incluso la razón no encuentra argumentos suficientes que cuestionen su existencia. In extremis, cuando no encuentra explicación al funcionamiento de esa inteligencia, se refiere a ella en forma de accidente, suerte o casualidad o no se pronuncia, a veces, queriendo ignorarla.

A escala Macroscópica, un ser humano tiene un tamaño equivalente al que en escala microscópica tiene un electrón.

Un UNIVERSO INTELIGENTE significa UN ALGO UNIFICADO con consciencia para escoger la mejor alternativa entre varias para organizarse a sí mismo, creando sistemas interrelacionados que funcionan unos sobre la superposición de los otros, alcanzando escalas macro, micro o nuestra realidad sensorial intermedia. Por ejemplo, las células del cuerpo humano se agrupan en tejidos, que se constituyen en órganos como el corazón, los pulmones que, a su vez, se configuran en sistemas como el cardiovascular, el respiratorio… El funcionamiento sincrónico de TODOS LOS SISTEMAS crea el cuerpo humano. También por debajo de la unidad celular encontramos una organización como, por ejemplo, los microorganismos del interior de las células y en un nivel más abajo las moléculas, los átomos y, finalmente, las partículas subatómicas, que son la materia y energía más pequeñas que el ser humano ha conocido hasta nuestros días.

Cualquier materia, animada o inanimada, es un sistema organizado sutilmente. Es decir, un sistema con un orden no visible en apariencia pero con estructura jerárquica. Podemos expandir este esquema hacia la realidad macroscópica percibida por nuestros sentidos: el sistema solar es un conjunto de planetas que giran alrededor de una estrella, el Sol, que se encarga de sostenerlos a través de su campo gravitatorio. Más allá del Sistema Solar, existen otras estrellas que configuran sus áreas de influencia gravitatoria. Millones de estrellas crean los brazos galácticos de la Vía Láctea que desembocan en el centro de nuestra galaxia, donde habitan al menos 100.000 millones de estrellas y sistemas. El funcionamiento sincrónico de TODO crea la galaxia, que a su vez se agrupa con otras galaxias cercanas dando lugar a los cúmulos de galaxias; la treintena de galaxias que se agrupan, aún pertenecen a un súper cúmulo de galaxias, que es el sistema material más grande que el ser humano ha observado hasta la fecha.

Desde el macrocosmos al microcosmos hay un orden invisible que estamos conociendo, pero todavía es más grande el misterio que lo que hemos descubierto. Entre lo más pequeño y lo más grande que conocemos de la energía-materia nos hayamos cada uno de nosotros como sobre un magnífico tapete en el que podemos disfrutar de eso que llamamos vivir: la tierra, nuestro hogar y madre de todas las madres. Nuestro planeta es como una gigantesca caravana diseñada con la más alta tecnología que se mueve sutilmente a 30 Km por segundo, gira sobre sí misma cual danza en pareja con la Luna, y mantiene la mitad de su rostro oculto al

Sol de forma que, en cada instante, crea sobre su superficie la sincronía perfecta del equilibrio del día y la noche. Y también, no por azar, la ligera inclinación sobre su propio eje crea, en su movimiento de traslación alrededor del Sol, la presencia sincrónica del verano y el invierno, de la primavera y el otoño, en sus hemisferios norte y sur. La sincronía perfecta de todos los ciclos terrestres canaliza la energía del sol para la creación de los más de dos millones de especies vivas que existen en el planeta.

No es tan importante, para mí, discutir qué nombre es el más oportuno para nombrar a la inteligencia que regula el orden que crea el diseño de la realidad y del lado invisible que la sostiene, si Energía, Inteligencia, Dios, Consciencia Universal, como sí sentir en nosotros/as mismos/as la parte de ese huevo perfecto que nos ha tocado ser por el solo hecho de estar dentro de él. Y para que tú puedas explorarte a ti mismo/a es imprescindible que aprendas a mirar de frente tu propio dolor vital.

Todo lo que necesitas para vivir está dentro de ti

Quizás te estés preguntando otra vez…

¿Y qué tiene todo esto que ver en mi relación de pareja?

Si no existe el error ni la equivocación, tampoco puede existir el hecho de estar con la persona equivocada en una relación. Sin embargo, cuando las personas se desenamoran suelen separarse muchas veces con la sensación de haberse equivocado en su elección. Seguro que también habrás escuchado o dicho…

"Una relación es como la lotería, cuando la compras no sabes lo que te va a tocar"

Lo que está detrás de esta afirmación es la desilusión de no haber encontrado lo que esperabas encontrar. Lo más interesante es que la mayoría de las personas buscan en las relaciones de pareja sueños poco realistas o inalcanzables porque buscan lo que ellas no han encontrado aún en su interior. Y más aún, lo que busca la mayoría de las personas son experiencias imposibles por lo fantasiosas que resultan en la realidad.

En los próximos capítulos irás haciendo tus propias asociaciones y sacarás tus propias conclusiones. Mientras te invito a que te hagas estas preguntas y busques respuesta a partir de ti:

¿Cuál ha sido "el error" más grande de mi vida?

¿Cuáles fueron los beneficios principales que me trajo ese "error"?

¿Cuál ha sido o sigue siendo el dolor más fuerte que he vivido?

¿Qué consecuencias positivas ha tenido ese dolor en mi vida?

¿Cuál es el "error o fallo" que percibo que tiene mi relación?

¿De qué forma, lo que me falta o lo que me sobra, me está sirviendo en mi vida?

SEGUNDA PARTE

EN EL LABERINTO

PREDISPUESTOS/AS A BUSCAR EL AMOR

1. LA NECESIDAD DE AMOR

Es poco probable que ames tu presente si no has amado tu pasado.

Si amas a los dos, eres dueño de tu futuro.

Tu madre y tu padre

Con mucha frecuencia, me encuentro en los procesos de Coaching con que mis clientes están cargados de juicios hacia sus padres por aquello que no consiguieron en sus vidas o por lo que no recibieron de ellos, y les hacen responsables de sus pesares asumiendo que sus vidas serían mejor si hubiesen tenido otros padres o si, al menos, ellos se hubiesen comportado de forma muy distinta. Muy a menudo, olvidamos la naturaleza humana de nuestros padres y les culpabilizamos por las cosas que no hicieron o que hicieron que nos dolieron. Quien lo hace no se da cuenta que está defendiendo una actitud que niega el amor de sus padres desde las posibilidades que ellos tuvieron, y olvidan que la ignorancia de no haber sabido actuar como "mejores padres" fue involuntaria, como fue también involuntaria la ignorancia de sus abuelos con sus padres. Lo cierto es que todos los juicios negativos que tengamos sobre el padre o la madre, son las cargas emocionales que acumularemos dentro de nosotros y que se van a convertir en los obstáculos que encontraremos en nuestras relaciones humanas, especialmente en las de pareja.

Si quieres vivir una relación de pareja desde el amor de tu corazón, es fundamental que hayas integrado todas las vivencias que tuviste con tus padres, especialmente, aquellas que dejaron una herida o una huella que consideras irreconciliable. Si no haces esto de forma consciente, tu cuerpo, con los años, creará enfermedades que te pondrán delante de ese dolor que no has podido integrar. El resentimiento con los padres es la semilla de esa común enfermedad llamada Cáncer. Cuando me refiero a "integrar las experiencias", quiero decir a desarrollar un sentimiento de gratitud y amor incondicional por ellos hasta el punto de desear no cambiarlos por ningún otro padre o madre. Solo cuando alcanzas ese sensación de amor profundo, abres tu potencial para vivir plenamente en cualquiera de las áreas de tu vida y, muy especialmente, abres la puerta para vivir tus relaciones de pareja desde tu plenitud y no desde tus carencias o necesidades. Entiendo que hay situaciones vividas muy difíciles de agradecer. Sin embargo, incluso en esas situaciones extremas, si echásemos juntos una mirada profunda a lo que recibiste, incluso a través de lo que llamas "tus carencias" o "lo que no viste" descubriríamos verdaderos regalos que no habías imaginado antes. Te aseguro que he visto esta situación en innumerables ocasiones e incluso en experiencias extremas de aparente abandono y malos tratos.

Yo tardé muchos años en agradecer alguna de las experiencias que viví con los míos. Y el amor que ellos me habían dado fue hábilmente cuestionado por mi razón y el dolor que yo sentía. Algunas de sus actitudes solo conseguí abrazarlas cuando tuve a mis hijos, pues me di cuenta que mi relación con ellos se volvía un reflejo de la relación que yo había tenido o que seguía teniendo con alguno de mis padres. Uno de los propósitos de los hijos es exactamente ayudarnos a abrazar profundamente nuestra propia historia con los padres. Incluso hoy, mis hijos me siguen reflejando aspectos de mi padre o de mi madre en los que no he caído antes, y esto hace que me sigan enseñando aspectos que estoy aprendiendo a amar en mí.

Uno de los momentos de mayor resentimiento con mis padres fue al iniciar mis estudios universitarios. Sentí que ninguno de los dos había previsto las necesidades que yo podría tener en ese periodo de mi vida, ni emocionales ni económicas y me vi de pronto en la obligación de tener que trabajar para comprarme los libros e incluso para adelantar el pago de mi matrícula. A esto se añadía el conflicto de la elección de lo que yo quería estudiar. Durante un tiempo tuve dudas, pero un día creí haber encontrado mi profesión y les dije: quiero ser actor. Para mi sorpresa, ninguno de los dos tomó en serio mi vocación. Ambos respondieron de la misma forma educada y seria: *"me parece muy bien que te guste el teatro. Pero primero estudia una carrera que te dé de comer y luego te dedicas a lo que te gusta. En tu tiempo libre".* Lo que más me dolió fue que yo interpreté su actitud como falta de confianza, por parte de ellos, hacia mi valía, y viví por mucho tiempo con esa sensación dentro de mí, entendiendo sus consejos, pero relamiéndome por dentro que ni siquiera se hubiesen tomado la molestia de ver si tenía o no cualidades para lo que yo estaba eligiendo para mí. Les veía obcecados en su consejo, sin realmente mirar lo que a mí me importaba y lo que yo quería. Claro que convertirse en un buen actor era difícil, pero también, se suponía que era difícil, convertirse en un buen ingeniero, médico, abogado, comerciante, empresario o cualquier otra cosa que me propusiese.

¿De qué me estaban hablando realmente mis padres cuando me aconsejaban que considerase mi profesión? ¿Cuál era el mensaje que me querían dar con su consejo? ¿Qué trataban de evitarme? Mirando con perspectiva, he tenido la ocasión de ver que en su desafiante consejo había tanto de sus miedos y de sus limitaciones acerca de su propia valía como igual cantidad de buenas intenciones para evitar que a mí me pasara lo que a ellos les estaba pasando cuando me lo decían. Y cuando llegué a esa percepción, descubrí que detrás de la aparente "falta de apoyo" hubo también otras cosas muy valiosas que no hubiese recibido si ellos me hubiesen dado "el apoyo de la forma que yo esperaba". Por ejemplo, gracias a sentir la falta de apoyo y cuestionada mi valía, apareció en mi corazón mi primer gran sueño por el que me comprometería a levantarme cada mañana de mi existencia, y determiné que haría lo que fuese necesario hasta tener tiempo y dinero para hacer lo que a mí me gustase. De este deseo nació mi espíritu emprendedor y fundé mi primera empresa de fotografía a los 20 años. Y fue el inicio de una trayectoria empresarial y profesional que hoy no cambiaría. Desde esta perspectiva, ellos me apoyaron, incluso sin ellos darse cuenta que lo hacían.

Sea como fuere la experiencia que hayas vivido con tu madre y con tu padre, considera que en todos los seres humanos existe esa percepción de carencia con sus progenitores. Es como si no pudiésemos eliminarla de nuestra experiencia humana y que estuviésemos predeterminados a crearla. Pretender que no sea así es lo más habitual porque nadie en su sano juicio iría corriendo a vivir una experiencia dolorosa. Pero si no es posible evitar los malos tragos con los padres ¿es un defecto de la vida humana que se podría corregir? Desde mi comprensión actual, he comprobado que en las percepciones de carencia está la semilla de las mayores fuentes de creatividad e impulso vital a las que el ser humano puede tener acceso.

La percepción de carencia

La percepción de carencia es una experiencia a la que no podemos renunciar durante nuestra vida humana, es esencial para el sostenimiento y la evolución de distintos niveles de NUESTRO SER; por ejemplo, como especie, en nuestro nivel más elemental, a través de ella nos comunicamos con el exterior y regula el funcionamiento del programa básico de protección natural llamado INSTINTO. Tu cuerpo y tu mente se comunican entre sí usando el instinto como el medio primordial de comunicación. Quizás no lo recuerdas, pero cuando naciste, tu grado de dependencia con los adultos era de vida o muerte. Sin ellos en tus primeros años, no habrías llegado muy lejos. ¿Recuerdas cómo te relacionabas con los adultos que te cuidaron? Usando tu dolor físico o emocional: cada vez que tenías hambre, el dolor por el vacío en tus tripas te hacía llorar, y el llanto atraía la atención de un adulto que te ayudaba a calmar tu hambre, sueño, sed o molestias. También dependías de los adultos para que te protejan del peligro exterior, sin su protección o cuidado no hubieses podido sobrevivir en la tierra. En todos los casos una forma de dolor te protegía de la muerte física, y sin el instinto no te hubiese dolido tu cuerpo, y hubieses estado más expuesto a morir por hambre o falta de atención.

Tus experiencias quedan registradas en tu SISTEMA MENTE-CUERPO

El instinto funciona siguiendo una orden muy sencilla: huye del dolor y busca su contrario, el placer. La alerta que se detona a través del dolor está encaminada a satisfacer el vacío o carencia: hambre, sed, sueño o protegerte de un peligro; el instinto te moviliza hacia la búsqueda de lo que te falta, en este caso llorando o gritando, y una vez que lo encuentras experimentas lo contrario.

A modo de ejemplo para ilustrar cómo funciona este aspecto de tu constitución humana, usemos la comparación de nuestro sistema mente-cuerpo con un ordenador. El ordenador tiene dos componentes primordiales y complementarios, la parte tangible que puedes tocar que se llama soporte físico o hardware, y los programas o software, que se ejecutan sobre la estructura sólida. Software y hardware son opuestos complementarios inseparables, dado que el hardware no serviría de mucho sin el software y éste no podría ser utilizado si no tiene el hardware sobre el cual desplegar sus posibilidades. Ambos son cruciales para interconectarse y para que el usuario u OBSERVADOR, pueda experimentar LA REALIDAD física de un ordenador y sus beneficios.

Un DOLOR FÍSICO = MALO (-)		Un PLACER FÍSICO = BUENO (+)
Asociado a PELIGRO	= REACCIÓN =	Asociado a SEGURIDAD
Posible MUERTE		Sigues VIVO

La función del instinto está tan determinada a protegerte, que la búsqueda de lo positivo influencia tu voluntad, condicionando tus decisiones a querer perpetuar las experiencias positivas a costa de eliminar o evitar cualquier dolor. Sin embargo, no solo no podrás evitar en tu vida experimentar la misma magnitud de dolor si no que, cada vez que busques satisfacerte y no obtengas el resultado esperado, vas a experimentar una desilusión que potenciará tu dolor y te frustrará. LA ACUMULACIÓN DE FRUSTRACIONES, TARDE O TEMPRANO TE ENFERMARÁ.

Las buenas intenciones del instinto, asocian en tu inconsciente las experiencias placenteras con LA SATISFACCIÓN, LA SEGURIDAD Y LA PROTECCIÓN. Tus experiencias procesadas de esta forma quedan registradas en una parte de tu cerebro en forma de conexiones neuronales que configuran tu SISTEMA DE AUTO-PROTECCIÓN PRIMORDIAL. Pero este hecho que te salva de morir a temprana edad, se vuelve en tu contra en otras edades, porque la asociación de las experiencias de placer con la seguridad tiende a crear una CREENCIA PRIMORDIAL CONDICIONANTE:

"El AMOR ES SEGURIDAD Y PROTECCIÓN"
o
"EL AMOR ES UNA EXPERIENCIA POSITIVA"

El que en tu psique quede asociado que las sensaciones positivas son el amor significa que queda grabado en tu consciencia la búsqueda de lo positivo con el sentimiento de amor, especialmente a través de la seguridad, el cuidado físico y la protección. En este hecho se encuentra una paradoja importantísima que hasta que no la desveles te traerá diferentes formas de malestar o sufrimiento porque EL INSTINTO TE HA PROGRAMADO A BUSCAR EL AMOR ASOCIADO A UNA FORMA ESPECÍFICA DE PLACER, y el amor dista mucho de ser exclusivamente esto. Este tipo de búsqueda del amor dentro del marco de las relaciones de pareja produce muchas expectativas rotas, frustración y mucho miedo a la ruptura o a la separación.

La percepción de carencia tiene un precio alto a través del dolor y es lo que más nos cuesta aceptar, reconocer y abrazar a los seres humanos. Sin embargo, el dolor en cualquiera de sus manifestaciones es un gran amigo y compañero que no solo nos previene de algún peligro físico, sino que es el RESPONSABLE PRIMORDIAL de que despertemos a una consciencia superior de nosotros mismos. Esto puede parecer una broma, pero es solo un sistema infalible que tiene la inteligencia divina e innata de la vida para despertarte a una visión más amplia de quien eres tú.

El dolor primordial

A través de las carencias que experimentamos en nuestra infancia creamos la sensación interior de no ser amados/as y desde ese momento adoptaremos un comportamiento que buscará el amor de la forma que percibimos que nos falta. La percepción de no ser amado/a es el DOLOR PRIMORDIAL común en el ser humano y BUSCAREMOS EN NUESTRA VIDA APLACARLO DE LA FORMA CON LA QUE EL INSTINTO NOS CONECTÓ PARA SOBREVIVIR, es decir, que, desde cierta edad, quedamos programados para buscar una forma placentera que calme nuestro dolor primordial.

Cada vez que percibimos la falta de ese calmante de amor, aparecerá un ERROR EN EL SISTEMA DE PROTECCIÓN NATURAL y se producirá una desilusión en la psique de la persona A MODO DE UNA EXPECTATIVA ROTA. Tanto como sea el dolor que acumules por las desilusiones, tanto más se produce un CORTOCIRCUITO o NUDO EMOCIONAL. Esta experiencia repetida, va creando en tu mente un LABERINTO PERCEPTUAL de emociones como soledad, abandono, miedo a la pérdida, incomprensión, traición, engaño, vergüenzas o cualquier conjunto de emociones que se retroalimentarán para satisfacer el vacío primordial que estás tratando de llenar.

En los primeros años de vida la mayoría de los dolores principales son físico-emocionales derivados de la carencia de FALTA DE CUIDADO FÍSICO que en definitiva es FALTA DE ATENCIÓN. Por esta razón, unido al dolor de no haber sido amados/as se suele encontrar adherido el dolor de no haber recibido suficiente atención. Las emociones que crean el laberinto perceptual necesitan tratamiento y cuando trasciendas tus emociones te ofrecerán los regalos más sorprendentes que pudieras imaginar ya que DE TUS

HERIDAS EMOCIONALES SALDRÁ TU FORTALEZA VITAL PRIMORDIAL, pero mientras que tus emociones queden reprimidas te harás adicto al proceso de no querer sentirlas, y te convertirás en el esclavo perpetuo del dolor y de la emoción que no quieres sentir.

Tu personalidad

Si la percepción de no ser amado/a es la carencia primordial común en el ser humano, el amor es lo único que buscan las personas verdaderamente en su vida. El particular comportamiento que adoptaremos para lograr sentir el amor en nuestra vida se convertirá en nuestra personalidad, que no es otra cosa que nuestra forma de comportarnos, de actuar e interactuar con otros. Es muy interesante conocer que el origen etimológico de la palabra PERSONA significa *máscara de actor o personaje teatral*. La palabra máscara, del italiano *maschera*, y este del árabe *masharah*, significa *objeto de risa*. Una de las definiciones para la palabra máscara en castellano dice "*Traje singular o extravagante con que alguien se disfraza*". Nuestra esencia humana se esconde detrás de una máscara, que es nuestra personalidad o traje que determina nuestras tendencias de comportamiento para buscar el AMOR.

Huir de tus emociones reprimidas determinará un comportamiento específico en forma de tu personalidad y representarás un personaje de forma continuada PARA CONSEGUIR NO SENTIR LAS EMOCIONES QUE REPRIMES. Cuanto más te empeñes en no querer sentirlas, más adicto te vuelves a tus máscaras y creas una ADICCIÓN PRIMORDIAL, que no siempre es un comportamiento relacionado al consumo de una sustancia. El efecto adictivo no es una característica que está solamente en alguna sustancia, sino que principalmente está en la necesidad interna del ser humano. El efecto de la adicción en una persona, la hace huir del dolor primordial que no quiere volver a vivir.

Decir que TODOS SOMOS ADICTOS es cierto y poco exagerado, sin embargo es muy común escuchar en boca de algunas personas, *"yo no tengo adicciones"*, habría que verlo, pero lo más seguro es que no se hayan dado cuenta de que se están mintiendo. Si eres como la mayoría de los seres humanos, has crecido con toneladas de mentiras que has hecho de ellas verdades férreas absolutas con las que sigues creando tu vida sin darte mucha cuenta. Has asumido por verdad lo que consideras bueno y desde esa verdad parcial ilusoria condenas tolo lo que no te gusta o que consideras malo, negativo o perjudicial. Desde esta postura QUIERES TENER RAZÓN y defiendes tu verdad simplificando tu percepción del mundo en dos: los que están de tu lado o los que están en contra tuya. Cuando quieres tener a la razón de tu lado tiendes a confundir "lo que sentiste" con "lo que ocurrió" y, aunque son inseparables, son muy diferentes entre sí. La razón es inseparable del instinto; metafóricamente es como "el secretario en quien delega" la responsabilidad de *"encárgate de que no se le olvide que esto o aquello es malo/negativo"*.

La actitud de querer tener la razón suele ser una actitud defensiva que protege tu vulnerabilidad de sentir. Por eso las personas más racionales se muestran menos emocionales, no porque sean personas menos sensibles, sino porque son personas muy sensibles que no han aprendido aún a sentir su dolor y actuar a la vez. En cierta medida lo que hace la razón es proteger a la persona de sentir las emociones que la romperían. Cuando una persona muestra querer tener la razón es solo una señal de que hay una herida interior que necesita conservar para sentirse fuerte o que la persona ha experimentado un dolor y quiere evitar a toda costa volver a sentirlo otra vez.

Los principios naturales que regulan la materialización y la energía son los mismos principios que también regulan la creación de nuestra vida, de nuestras experiencias y de nuestra evolución consciente. Al igual que no hay noche sin día, no hay dolor sin placer, ni pérdida sin ganancia, ni perjuicio sin beneficio. Exploraremos esta idea primordial del equilibrio de forma muy específica para que entrenes tu mente a ver la conexión sutil que existe entre la dualidad de los opuestos complementarios y la manera en cómo se materializan ante ti. Comprobarás que el equilibrio es algo mucho más completo de lo que aparentemente la gente quiere decir cuando utiliza la palabra.

ADIVINA ADIVINANZA

Si tú te mientes y no te das cuenta de que te mientes

¿Cuál es el sistema natural inteligente para que descubras que te estás mintiendo?

2. LA BÚSQUEDA DE LO QUE NOS FALTA

Cuando algo o alguien nos faltan apreciamos su verdadero valor.

Si la vida es teatro ¿Cuál es el papel que interpretas tú?

Los valores individuales

Es fundamental entender el dolor como un contribuyente de tu vida a modo de un buen servidor. Tu dolor primordial te va a ayudar a crear tus heridas principales exclusivas e únicas. El dolor por esas heridas hará que tomes decisiones que te enseñen a elegir y desarrollar que la capacidad de elección consciente es fundamental para crear conscientemente. El hecho de que el dolor te fuerce a elegir te hace responsable de lo que sientes y piensas, y asumir esta responsabilidad es crucial para convertirte en EL CREADOR CONSCIENTE DE TU VIDA.

¿Te consideras creador de tu vida?

o

¿Te consideras una consecuencia de las elecciones de otros?

Observa tu sensación al responder las preguntas anteriores. ¿Cuál de las dos sensaciones percibes que te fortalece más para los fines que quieres alcanzar en tu vida? ¿Cuál elegirías para cultivar en tu corazón y que te alimente más?

Lo más común es que las personas se sientan víctimas de su pasado, de sus circunstancias actuales o de otras personas hasta que puedan igualar en su percepción la siguiente ecuación:

$$\begin{matrix} \text{Dolor} \\ \text{Primordial} \\ \textbf{Vital} \end{matrix} = \begin{matrix} \text{Placer} \\ \text{Primordial} \\ \textbf{Gustos primordiales} \end{matrix}$$

Escala de valores individual

Imagínate por un momento que la tierra fuese un gigantesco supermercado en el que puedes servirte de cualquier cosa que haya en las estanterías. Es un gran almacén con pasillos, estantes y mucha variedad, como países, ciudades y familias. ¿Qué elegirías entre tanta diversidad? Cada elección es una experiencia, y puedes coger las experiencias que quieras, además puedes combinarlas, mezclarlas, cambiarlas, probar nuevas, diseñar otras mezclas diferentes. ¿Y entre qué opciones tienes para escoger? Te preguntarás, quizás. HAY DE TODO. PUEDES ESCOGER LO QUE IMAGINES. TODO ES POSIBLE. Solo hay dos consideraciones que tienes que tener en cuenta antes de entrar al supermercado:

1. Tendrás un tiempo limitado para estar ahí. Tu forma de vida humana dura una media aproximada de 80 años, es decir, de 80 vueltas de la tierra alrededor del sol.
2. Hay tantas e innumerables posibilidades para escoger que necesitas elegir previamente un rango de posibilidades porque en términos de los límites de tu vida humana es imposible VIVIR O ESCOGER TODAS LAS EXPERIENCIAS que se pueden vivir en la tierra. Para quitarte cualquier tentación te lo decimos de otra forma más clara: no es posible coger una de cada.

¿Te ha pasado alguna vez que has ido al supermercado sin una lista de la compra? Cuando esto nos ocurre, solemos comprar cosas que no teníamos pensadas y, muchas veces, se nos olvida traer a casa lo que realmente necesitábamos. Pues si esto nos pasa cuando vamos a comprar el pan, imagínate si entrases a comprar sin una lista de la compra a un supermercado tan grande como el planeta tierra. Aquí es donde empieza a tener sentido el dolor, porque gracias a tu dolor te moverás por los pasillos eligiendo de los estantes aquello que pueda calmarlo, es decir aquello que no tienes y buscas. Tus dolores primordiales vitales darán a luz a tus gustos primordiales fundamentales.

¿Qué te gusta?

¿Qué te hace sentir bien?

¿Cuál es el dolor que está detrás de lo que te gusta?

El propósito de los dolores primordiales es crear una LISTA DE LA COMPRA PRIMORDIAL para toda tu vida, porque sin esa lista que acote un rango de posibilidades sería mucho más complicado y difícil vivir en la tierra. Considera además que al nacer, tú traes una riqueza primordial, que es el tiempo que vas a vivir, sean los años que sean. Tu tiempo es aquello que puedes cambiar o invertir para convertirlo en cualquier otra cosa. El tiempo es como el dinero, un transformador universal de materia. Un medidor para el intercambio. TU TIEMPO en la tierra ES TU PATRIMONIO PRIMORDIAL. Tu dolor primordial te marcará la pauta de cómo invertirlo.

¿De qué forma lo harás?

¿De qué forma lo estás invirtiendo?

El funcionamiento del instinto y la aparición de los dolores primordiales se pueden completar con la siguiente ecuación:

Lo que Percibes que te falta	=	Se Vuelve importante

Un vacío = Algo que falta = Una carencia	se convierte en	**Un valor = algo que buscas = En abundancia**
Hambre		Alimento sólido
Sed,		Alimento líquido
Frío		Calor
Inseguridad		**Seguridad**
FALTA DE AMOR		**AMOR**

El AMOR ES EL VALOR PRIMORDIAL
que busca el ser humano

La primera dirección a la que tu ESCALA DE VALORES INDI-VIDUALES te va a señalar es a la de evitar cualquier experiencia que pudiese reproducir un dolor de tu pasado. Una carencia vital se convierte en una búsqueda primordial hasta que encuentras la forma de llenar ese vacío. **Tu personalidad es una estrategia** para que encuentres LO QUE BUSCAS. En cierta medida, tus valores protegen tu personalidad y protegen, principalmente, la elección que tomaste de no querer volver a sentir tu dolor primordial. Tu dolor primordial oculto detrás de TU PERSONALIDAD, te guiará a encontrar la forma de amor que percibiste que te faltó en tus primeros años de vida; la experiencia que creó tu dolor primordial determina un camino y en ese camino hay un aprendizaje específico para ti.

¿Qué es bueno y qué es malo?

A menudo me encuentro que el término de valores es confundido con lo que es bueno, o los valores morales, culturales o sociales. No es este el sentido al que me refiero cuando utilizo esta palabra. Los valores individuales son sencillamente LO QUE ALGUIEN VALORA. No está relacionado con ninguna etiqueta que clasifique si lo que es importante para él/ella es bueno o malo de manera absoluta. No existe tal cosa como un valor negativo o de menor importancia. Los valores individuales de cada persona son AQUELLO QUE ES IMPORTANTE PARA ESA PERSONA. Los valores son EL SOFTWARE DE BASE o EL PATRÓN DE PEN-SAMIENTOS PRIMORDIAL que va a correr sobre la mente del observador para experimentar la realidad.

Siguiendo el esquema anterior, algo se vuelve importante para una persona cuando percibe que no lo tiene: si te falta salud física, se vuelve importante ir al médico o a un profesional de la salud. Si percibes que no sabes gestionar el dinero, se vuelve importante formarte en finanzas personales. Si te sientes solo/a, se vuelve importante buscar compañía. Todo lo que valoramos en nuestra vida, se debe a que en cierta medida hemos percibido o seguimos percibiendo que nos falta o no lo tenemos. Cuando lo que valoramos es aquello que tememos perder se convierte en apego.

En mi experiencia como coach personal, he observado que las escalas de valores de las personas tienen dos componentes. El primer componente es una escala de prioridades casi inamovible de por vida que las personas viven de manera más bien inconsciente tapada por la escala de valores de otros, como la sociedad o las normas aprendidas familiares. El segundo componente es una lista de prioridades que cambia cada cierto tiempo, en ciclos vitales de aproximadamente siete a nueve años. Este segundo componente de los valores se modifica según evoluciona la persona de acuerdo a cómo integra sus experiencias vividas. En una época puede ser importante pasar tiempo con la familia y en otra época puede ser más importante estudiar una carrera. En términos generales, no existen dos personas con la misma escala de valores en todo el planeta. Es algo personal e intransferible que crea cada persona con su percepción de la realidad, de ellos mismos y de las experiencias vividas. Los valores son similares a la huella dactilar personal, un elemento diferenciador de nuestra individualidad.

Los valores individuales son como las gafas con la que vemos la realidad y lo que vivimos, cada persona tiene sus propios cristales, y por eso se dice que todo depende del color del cristal con que se mire. Cuando alguien percibe que sus valores son cuestionados por otra persona o una circunstancia, el observador etiquetará a esa experiencia o persona como negativa. Si en cambio percibe que sus valores, es decir aquello que busca, es apoyado por otros, etiquetará la experiencia o a las personas como positivas. La relatividad de qué es bueno o qué es malo está condicionada por la escala de valores de quien observa, evalúa y enjuicia según sus propias percepciones.

¿Qué es importante para ti?

Tus valores individuales se apoyan en creencias asumidas como verdad y crean tu destino.

Si la percepción de Vacío/Carencia = Te hace sentir que Algo falta…

Entonces, lo que falta se vuelve importante/valioso = Aparece un valor en tu mente.

Lo cual hace que te muevas en la dirección de encontrarlo = Tu destino.

Un Vacío – Un Valor – Un Destino

Si quieres cambiar tu destino, necesitas cambiar tu escala de valores y para cambiar tu escala de valores necesitas transformar tu percepción. Es imposible cambiar tu destino sin que cambies los valores que te dirigen. La gente lo intenta, nadie lo ha conseguido. Se frustran porque quieren un resultado diferente haciendo lo mismo y es poco probable que eso pase. El destino de una persona es previsible si conoces sus valores, si tomas consciencia de cuáles son los tuyos te darás cuenta si estás en el camino de hacer realidad lo que dices que quieres o no.

Valores compartidos: moral y ética

La debilidad interior humana busca asociación y para que se produzca es indispensable que se compartan unos valores similares. Cualquier proceso educativo está basado en la elección de unos valores que fundamenten la base para la educación. Los valores compartidos se convierten en la moral pública que la comunidad va a seguir y la sociedad se va a encargar de crear mecanismos e instituciones que aseguren el respeto y la permanencia de los valores acordados. En el contexto de esa moral pública se escriben las normas y las leyes que van a regular la ética de las relaciones humanas en esa sociedad, incluidas las de pareja.

En el proceso educativo se da forma a la percepción de las personas y se les enseña a filtrar los eventos de una forma u otra, y se les enseñará a etiquetar las experiencias como positivas o negativas en términos más absolutos siguiendo las normas y leyes de la sociedad en cuestión. Se nos impone unos valores a nuestra percepción en nombre del bienestar social, pero esa imposición conlleva también mucho conflicto interno en las personas, porque en muchos casos lo que nos dicen que es bueno, no acaba siendo muy bueno en nuestra vida y por no confrontar el rechazo, las personas sacrifican su propia voluntad, y pagan un precio muy alto: la libertad de ser ellos mismos. Dejar de ser tú mismo es la semilla primordial de las enfermedades. A lo largo de nuestra vida pasaremos por diferentes periodos de crisis de identidad, la adolescencia, la juventud, la madurez, etc., donde solemos confrontar nuestra autoridad personal con las autoridades cercanas: normas de casa, de la familia, de la sociedad, de la religión. He visto que uno de los mayores sufrimientos en las relaciones de pareja proviene del conflicto interior de seguir o no la voluntad individual a favor de hacer el bien a la relación, a los hijos, a la familia, etc. Muchas personas construyen sus relaciones sacrificando sus valores esenciales por la relación. Este es un comportamiento suicida y de auto maltrato inconsciente. Detrás de él solo hay un miedo a algo.

Dado que las personas viven su vida a través de sus valores individuales, a través de ellos comparten su amor de la forma específica y concreta que para ellos representa el amor. Como los valores son personales e intransferibles, tú compartirás tu amor a través de tus valores, pero si no te ocupas de que tu pareja reciba tu amor de acuerdo a sus valores, de acuerdo a lo que para ella/él es importante, tendrá la sensación de que no es amada/o suficientemente por ti. Esta es la piedra angular de la falta de comunicación: no hacer llegar el mensaje que quieres transmitir de forma que el receptor interprete a través de sus valores lo que tú estás transmitiendo.

Tus valores individuales van a determinar la forma en la que tú buscas tu realización, éxitos, logros, etc. Si realmente no eres consciente de cuáles son los tuyos propios, tienes un gran reto que trascender, porque significa que tienes inyectados en tu mente los valores de otras personas o de la sociedad. En este caso, uno de tus valores personales es agradar a otros. Si este es el caso, créeme, vas a pasar tratando de agradar a todo el mundo y eso te producirá una gran frustración, porque, primeramente, es imposible bajo la ley del equilibrio agradar al cien por cien de las personas, y segundo, agradar a alguien solo depende de conocer sus valores. El desafío en la vida está en actuar en consonancia a los valores de los otros para agradarles sin renunciar a los tuyos propios, porque si renuncias a los tuyos tendrás un problema seguro.

La clave de la transformación personal y de la plenitud pasa por conocer lo que verdaderamente es importante para ti. Lo que es absolutamente innegociable. Luego, respetarlo tú mismo y, por último, vivir compartiendo quien eres tú a través de tus valores, porque son los que te dan tu identidad primordial mientras estés habitando tu cuerpo físico.

La dirección. El sentido

Tu percepción de las experiencias de dolor y placer procesadas por tu instinto y tu razón formará TU ESCALA INDIVIDUAL DE VALORES que SERÁ TU FILTRO PRIMORDIAL con el que vas a evaluar todo lo que acontece fuera y dentro de ti. Será tu lista de la compra con la que te moverás físicamente en el gran supermercado para coger lo que más te satisfaga. Lo harás más o menos consciente pero tus valores individuales te marcarán hacia dónde dirigirte, y en cierta medida también la dirección o el sentido de tu vida, no solo de una forma metafórica, sino literalmente. A través de los valores individuales nacidos de tus heridas emocionales decidirás entre "esto" o "aquello", entre un camino u otro, entre la persona A o la B.

Este filtro perceptual desplegará ante ti el abanico de posibilidades más adecuado que sintonizará con tu búsqueda personal. En el proceso de buscar seguirás experimentando nuevas formas de dolor y placer, que seguirán alimentando o transformando tus valores individuales. No podrás evitar experimentar en la realidad el equilibrio del dolor y del placer, porque ambos son necesarios para tu evolución. El hecho de la coexistencia de esta dualidad sincrónica garantiza el equilibrio en cada momento de tu vida, pero desde tu instinto no podrás ser consciente de ese equilibrio porque si el instinto fuese capaz de percibir al mismo tiempo el dolor y el placer dejaría de proteger tu cuerpo físico; las personas necesitamos del instinto como un instrumento de protección durante toda la vida: si pones tu mano sobre una placa caliente de vitrocerámica, el instinto no evitará que te quemes, pero hará que retires tu mano de la superficie caliente, evitando que se te derrita por el calor y la pierdas sin darte cuenta.

El dolor primordial no es un drama sino un juego inteligente de la vida. La adicción a tu dolor primordial es necesaria para que te mantengas enfocado en tu BÚSQUEDA PRIMORDIAL ESPECÍFICA y consigas aprender las lecciones que has venido a aprender. Mientras que sigas adicto a tu dolor primordial, la fuerza interna que te sostiene sale de la intensidad del dolor de las heridas emocionales y de las emociones que crean tu laberinto perceptual. El camino de salida de tu laberinto interior se inicia creando una actitud consciente y practicando una forma diferente de sentir tu fuerza interior. El resultado que se cosecha a la salida del laberinto es el APRENDIZAJE PRIMORDIAL al que estabas predestinado desde la perspectiva de tu alma y de este aprendizaje saldrá la contribución que has venido a dar al mundo en forma de propósito de vida.

La perspectiva del alma

Puede que te de la impresión de que el hecho de considerar la perspectiva del alma te parezca una visión determinista de la vida y a lo mejor asocias ese determinismo con la idea de que el futuro de las personas pudiera estar escrito desde su nacimiento. Nada más lejos de mi intención ni de mi forma de pensar. Realmente considero que el concepto de predestinación está mal entendido cuando se asume que tenemos un destino que no podemos cambiar. El futuro es incierto y está en continuo cambio; lo que determina tus resultados son las elecciones y las acciones, que hiciste o sigues haciendo hoy, basadas en tus valores individuales, pero en cualquier momento puedes cambiarlos y ese cambio de valores afectará a tu futuro.

¿Qué significado "per sé" tiene la vida?

¿Te hiciste esta pregunta alguna vez? Observa que la vida en sí misma no posee un significado. Y gracias a que no posee un significado predefinido puede significar lo que cada persona elija según sus valores individuales. El hecho de que sea así, garantiza el libre albedrío de experimentar la vida a tu antojo. Eres libre de crear lo que quieras en tu vida, sin embargo, para garantizar tu libertad de elección, es necesario que exista un escenario en el que haya unas leyes que funcionen para todos por igual sin excepción.

En la máxima libertad de crear lo que queramos se necesitan unas leyes que regulen el cambio y la evolución, pero sobre todo, que regulen algo tan básico como la justicia, es decir que todos tengan la misma oportunidad. Además de que todos tengan la misma oportunidad, esas leyes tienen que considerar el hecho innegable de que TODOS SOMOS DIFERENTES, incluso dos hermanos gemelos son almas diferentes. Conjugar estos dos elementos: JUSTICIA POR IGUAL PARA TODOS LOS DIFERENTES parece contradictorio. Las leyes humanas no lo han conseguido porque basan sus premisas en la altruista creencia de que todos somos iguales, pero las leyes naturales contemplan las similitudes y las diferencias por igual, y tú puedes darte cuenta de ello si entrenas tu mente a percibir el orden inherente dentro del caos. Ese entrenamiento modifica tu punto de vista de forma absoluta sobre el significado que le podrías dar a tu vida.

¿Es predecible el futuro?

Predecir el futuro es una ambición humana antiquísima y sigue aún vigente. La evolución de la ciencia está motivada por el deseo de prever qué pasará en el futuro; los científicos estudian los fenómenos y el comportamiento de las cosas con la intención de averiguar qué hay más allá de lo que podemos ver. Tratan de encontrar la Causa-Efecto. Y se van descubriendo cosas, por supuesto, que desvelan trozos de las posibilidades del futuro. Por ejemplo, nuestra ciencia ha podido prever que el futuro del sol es seguir creciendo hasta convertirse en una estrella gigante roja.

Esto significa que será tan grande que la tierra acabará dentro de la atmosfera del sol, se desintegrará y la vida en la tierra no será más posible. Como esto ocurrirá más o menos dentro de cinco mil millones de años, no es algo que seguramente te preocupe. Hay muchísimos más ejemplos ciertos sobre las previsiones del futuro, pero no se puede hacer una predicción absoluta porque el misterio y la incertidumbre se mantiene para crear la emoción de vivir día a día sin saber lo que puede pasar y, sobre todo, para alimentar el entusiasmo de crear otras posibilidades. Por ejemplo, antes que el sol se convierta en gigante roja, podría aparecer un meteorito y destruir la tierra.

Sin embargo, desde las reglas del juego "la vida es perfecta", sí considero que existe algo de cierto en el determinismo. Tu vida humana desde la perspectiva de tu alma es como una película, tiene un principio, trata de algo y tiene un final. Si tu alma va al supermercado a experimentarse a sí misma, necesitas una pre-elección básica para evitar que lo verdaderamente importante en tu evolución se te olvide elegirlo. Hay un mínimo de emoción que necesita ser pactada, digamos por ahora que contigo mismo/a, para que puedas tener la oportunidad de hacer la película que vas a crear durante ochenta vueltas alrededor del sol. Es sabio mantener presente la perspectiva del alma y considerar también las posibilidades de esa parte de ti no visible e intangible. Muchos de los que lo hicieron en el pasado han pasado a la historia de la humanidad como visionarios, es decir, vieron las posibilidades del futuro mientras estuvieron con vida.

Asumir que tenemos un destino predefinido es poco realista, porque elegimos nuestras acciones y, aunque no seamos cien por cien conscientes, elegimos desde la libertad interior que nos lleva a un destino. Como tus elecciones están basadas en cargas emocionales, y la mayoría de las veces no las tienes resueltas, si no te das cuentas de esas cargas y no las disuelves, no podrás evitar ciertas experiencias. En este sentido sí estás predestinada/o, pero más que predestinado/a por alguien diferente a ti, estás predestinado/a por tus cargas emocionales. Sin embargo, como todo es percepción y elección, las sensaciones de lo que algo te hace sentir, también las puedes elegir cuando no te dejas controlar por tu instinto. Darle un significado nuevo a tu dolor, basado en tus valores verdaderos, modifica tu predestinación y te hace crear tu vida con más determinación.

¿Cuál es el significado que le quieres dar a tu vida?

Las experiencias DOLOROSAS de tu vida tienen la semilla de tu propósito de vida. Desde la película que puedes crear desde tu alma, tu vida necesita de un guión para llegar al término que tu alma quiere alcanzar. Necesitas hacer un recorrido desde un principio a un final; tu guión no puede estar al cien por cien cerrado ya que en el camino encontrarás obstáculos y cada obstáculo es una prueba y la experiencia que vendrá después de la prueba no se sabe hasta que no pases o suspendas la prueba. Si pasas la prueba accedes al nivel siguiente, si no pasas repites la experiencia hasta que extraigas la lección. Para que tu vida sea emocionante necesitas un mínimo de intriga, por eso se necesita un mínimo de pacto o acuerdo, para que también haya un mínimo de:

Evolución y aprendizaje de tu SER

Cumpliendo tu propósito

Con DIVERSIÓN

Te propongo que te veas más allá de lo que pareces. El alma necesita seguir evolucionando. Tu ser mortal es el servidor de tu alma, tú pones el acto de moverse y tu alma es quien da sentido al movimiento.

SER MORTAL= Sistema MENTE-CUERPO.
El instinto-La razón

SER INTERIOR = El canal de comunicación con tu ALMA

SER INMORTAL = Tu ALMA.
Auténtica Luz Manifestada del Amor

Todos son necesarios porque se trata de una sincronicidad indisoluble para asegurar el vínculo que debe existir entre estos tres seres creados por la misma fuerza inteligente, con la misma pasta, sustancia e ingredientes. EL ALMA CREA LAS EXPERIENCIAS PARA CRECER EN EL AMOR. Y el amor es algo mucho más complejo que el abrazo de una madre. EL SER MORTAL crea para evitar el dolor y alcanzar el placer haciendo duradero tu cuerpo todo lo posible. EL SER INMORTAL cumple un destino desde el corazón, que sabe que causará dolor y placer de cualquier forma, para otros y para él. No hay miedo a sentir dolor porque en el mismo instante también hay la misma cantidad de placer que has de buscar más allá de lo que parece, si quieres conocer a fondo el Amor, porque tus sentidos primarios te engañarán a menos que estés enfocado en la construcción de tus sueños. Desde la construcción de tus sueños toda experiencia es un ladrillo más que pone su fuerza, su contribución y su poder. Los ladrillos que duelen fortalecen y los que no duelen también debilitan la confianza en las bondades de la vida. La búsqueda del poder por el poder es un signo de debilidad y esconde el miedo de no tener realmente poder. El poder natural brota del interior, cuando ves más allá de los límites del planeta tierra, cuando te reconoces a ti mismo como perteneciente a UNA FAMILIA HUMANA que vive en el escenario tierra creando una gran obra de teatro donde todos juntos buscamos EL AMOR.

Despertar el vínculo familiar es crucial, porque es la base de la fuerza y de la confianza de que no estás solo, que a pesar de las cosas que puedan pasarte habrá alguien que te ayude, te escuche, te comprenda, te apoye y te quiera tener a su lado. Tanto como sea que esto ocurra en tu vida en un periodo, tanto más vas a tener también lo contrario en la misma proporción. En mi caso, descubrí que mi padre y mi madre jugaron este binomio en mi vida. Mi padre era capaz de quitarse la vida por sus hijos. Esta sensación interior también escondía una actitud suicida hacia sí mismo, y detrás había una actitud de no valoración de su propia vida. Aquel que no valore su vida, ¿cómo espera vivirla? Habitualmente esta actitud es achacable a las madres y se asocia esta sobreprotección al tópico concepto de AMOR DE MADRE. Este amor falsamente entendido lleva habitualmente a la madre a la tumba o a la muerte en vida, es decir a renunciar a sus sueños y a otras cosas importantes también en su desarrollo vital, de su consciencia, de su crecimiento consciente desde el alma. Dar la vida por un hijo, llevado al extremo acaba creando un hijo huérfano o una madre/padre frustrada/o. ¿Quién quiere eso para su hijo?

El mayor miedo de mi padre fue que sus hijos viviesen la sensación de PADRE AUSENTE. Su sobreprotección y cuidados estaban conectados a su dolor primordial, la muerte de su padre cuando él tenía 10 años, y lo que más aflijo le causaba era separarse de nosotros. Su apego lo unía a nosotros, es decir una debilidad exagerada, un miedo, un pesar, un malestar interior. El pacto entre bambalinas de las almas de mis padres a fin de cuenta solo buscaba la evolución de sus almas y entre sus acuerdos estuvo separarse, para que mi padre se haga fuerte como padre y no nos quite ojo de encima y que mi madre viviese lo que estaba buscando, cumpliendo su sueño de libertad de ser mujer y madre en lugar de esclava de las normas sociales que condenaban las aspiraciones de las mujeres en una sociedad.

Las inseguridades que experimenté mientras viví con mi padre me motivaron a buscar a DIOS y mirar al cielo y pedir arriba la luz que no veía en mi camino. Las inseguridades que viví con mi madre me enseñaron a buscar dentro de mí el verdadero amor que se esconde detrás de la ruptura, que es invisible a los ojos, pero que es amor también del corazón. Quizás, para eso leí tantas veces el cuento EL PRINCIPITO que ellos me regalaron, para que recuerde que *"lo esencial es invisible y que solo se ve bien con el corazón"*. Desde la perspectiva de un niño de 3 años la experiencia tiene un significado, desde la perspectiva de mi alma tiene otro. No considero que sea mera casualidad el hecho de la separación de mis padres y el que la vida me haya llevado por el camino de convertirme en coach de relaciones de pareja y el hecho de que hoy me dedique a reconciliar a las personas, a las parejas o a que se separen agradecidas y no resentidas. Y también mis experiencias personales durante todos estos años con las parejas que he tenido ha sido un aprendizaje constante y enriquecedor, que ha estado muy conectado con todo el dolor que elegí cargar desde los tres años para hacer el camino que he hecho, y aprender desaprendiendo lo que pareció cierto pero que no era verdad. Soy el hijo del amor de mis padres. Si fui el culpable de que se separaran, GRACIAS, si no lo fui, GRACIAS. He buscado en los brazos de mis parejas los abrazos de mi madre, y en cada mujer que amé abracé su ausencia mientras ellas me enseñaban a amar lo que mi madre eligió. Porque amando su elección amaba mi propio camino, mi ruta, mis propias elecciones, entre las que estuvo también la de separarme en unas circunstancias menos fáciles, con mi hija de tres años y mi hijo en camino de nacer. Y tampoco considero casual que mis hijos me estén ayudando a ver lo que yo elegí guardar en el olvido para evitar sentir un dolor que no hubiese resistido. Comprendiendo el dolor de mis hijos he podido comprenderme a mí mismo y a mis padres. Y mientras sigamos vivos lo único que deseo para todos nosotros es que sea lo que cada uno elija con amor.

Definición en el diccionario de la RAE:

Psique. (Del gr. ψυχή). **1.** f. Alma humana.

3. La primera fase del AMOR: el ENAMORAMIENTO

No hay pedestal que no caiga

La atracción. El placer

Como somos energía, con nosotros también se cumplen algunas de las propiedades de la energía y una de las principales se refiere al electromagnetismo. La luz se desplaza en forma de ondas electromagnéticas, es decir, ondas que poseen una propiedad eléctrica y otra magnética. El fenómeno de la atracción y repulsión se estudia en física a través de las fuerzas fundamentales de la naturaleza y según una de ellas, se sabe que cuando una carga eléctrica se mueve en el espacio genera un campo magnético a su alrededor, es decir una fuerza de atracción y repulsión.

Tú sabes que tienes un magnetismo personal que atrae y repele personas, situaciones y experiencias, con lo cual, atraerás cosas muy distintas si tu percepción está cargada positiva o negativamente. Tu poder de atracción se mide por la capacidad que hayas desarrollado de cambiar tu percepción desde el interior con independencia de miedos o culpabilidades que pudieran interponerse: si estás triste ponerte alegre, si estás alegre ponerte triste. Tu magnetismo personal es la fuerza de atracción/repulsión principal que hace que te sientas atraído hacia una dirección y que también tú atraigas en tu recorrido energías complementarias: personas, situaciones o experiencias.

Tu magnetismo es un don natural que tienes y aprender a usarlo conscientemente es una habilidad que se desarrolla. Tus valores individuales determinarán la dirección hacia dónde dirigirte para encontrar lo que buscas. Y, si te das cuenta, en el instante de sentirte atraído hacia una dirección y seguirla, estás rechazando todas las otras direcciones posibles que no eliges. Por esto es que también somos responsables de nuestras elecciones y decisiones, porque aún si estás dejándote llevar solo por tu instinto sin darte cuenta, tu instinto es tuyo y si le sigues es seguirte a ti mismo.

El placer se empareja con el dolor

Tus gustos primordiales, tus pasiones, tus deseos, tus apetencias, tus sueños están emparejados con dolores vividos que te conducen desde el interior. Que no seas consciente del dolor que te dirige, no significa que no esté. La atracción que sientas por el placer de experimentar, te despertará ineludiblemente a él. En todo lo que te gusta está escondido hábilmente un dolor, incluso en la comida: desde el punto de vista de los minerales, la atracción instintiva por ciertos alimentos refleja la tendencia a cubrir un vacío "x" que es llenado por determinado nutriente. Químicamente, así se producen las adicciones a substancias. Una adicción vista desde este plano es tan simple como cubrir una necesidad.

El enamoramiento tiene también su propia química, comunmente llamada química del amor. Amor y enamoramiento se confunden, pero no son lo mismo. El enamoramiento es la primera fase de un ciclo completo al cual sí llamo AMOR. El aspecto químico del enamoramiento se ha asociado a las siguientes sustancias: la DOPAMINA, la FENILETILAMINA y la OXITOCINA, que influyen en nuestra percepción y comportamiento.

"Todo parecía no importar cuando estaban juntos..."

El enamoramiento desea fundirse con la otra persona hasta el punto de querer hacerte uno con otro y desaparecer. Llevado al extremo es como un deseo inconsciente de fusión, desintegración, transformación, es decir, una forma de muerte. Cuando sientes tanta atracción hacia alguien puede ser incontrolable y puedes llegar a perder el control y la noción de muchas cosas como: el apetito, no dejar de pensar en esa persona, dejar de lado a otras personas o cosas importantes, cambiar inesperadamente de decisiones sin pensar, ver reducida tu capacidad de elección, pierdes la noción del tiempo, etc. **La atracción exagerada por algo o alguien se llama enamoramiento y te ciega.**

Tu adicción a tu dolor primordial alimenta el enamoramiento hacia alguien cuando asumes, también inconscientemente, que ese alguien va a quitarte el dolor que tienes. Es decir, que te va a dar lo que tú necesitas.

Veneno – Antídoto

Y aquí nace la primera expectativa sobre la que vas a edificar innumerables más durante la fase del enamoramiento.

Las igualdades versus las diferencias

Nos sentimos atraídos hacia alguien por alguna de estas dos percepciones: somos iguales o nos complementamos. Si ves que tienes afinidades con una persona te sientes identificado con ella y tienes ganas de conocerla, de saber sobre ella, de estar a su lado, de pasar más tiempo junto a ella y a medida que la atracción aumenta, deseas estar más cerca de esa persona y de tan cerca que quieres estar que si pudieses no te separarías. La similitud calma el vacío de la soledad y la sensación de estar con una persona que te completará alimenta la esperanza de SENTIRTE AMADO. Pero como no hay nadie en la tierra cuyo propósito sea evitar que sientas tus dolores mientras vivas, vivir tus relaciones de pareja pretendiendo que sea así HACE QUE TE VUELVAS DEPENDIENTE de esa persona. Y esto produce el apego. **Cuando hay apego hay sacrificio y hay miedo.**

Como tu instinto te ha programado desde pequeño a buscar el amor de una forma positiva, la similitud y la complementariedad son percepciones del instinto en busca de la seguridad, y así es como **la seguridad** se convierte de manera innata es una de las primeras cualidades que asociamos con el amor. Todos buscamos el Amor de forma muy particular esperando encontrar lo que no tuvimos y en el proceso de encontrarlo vamos a experimentar de forma constantes emociones positivas y negativas; aparentemente aparecerán unas y luego otras, pero en la mente humana las cargas emocionales están emparejadas por pares equilibrados: una emoción positiva se hermana con una emoción negativa.

Hay tres emociones positivas extremas con las que nuestra percepción se polariza: ORGULLO, ENAMORAMIENTO y EUFORIA. Las tres se caracterizan por ser evaluaciones parciales exageradas que consideran principalmente los aspectos positivos de lo que observas: el enamoramiento exagera los aspectos positivos de una persona, la euforia exagera los aspectos positivos de una situación, y la sensación de superioridad u orgullo exagera los aspectos positivos de ti mismo. Estas tres emociones positivas extremas exageradas llegan a convertirse en una forma de mentira o ceguera inconsciente porque tu atención, al estar tan enfocada en los aspectos positivos, no ve las emociones negativas que están hermanadas sincrónicamente a ellas. Como ejemplo, fíjate el recorrido más común que la percepción de una persona hace para colocarse la máscara del orgullo:

UNA EXTREMA SENSACIÓN DE SEGURIDAD en algo produce
⇓
Una extrema sensación de Confianza en ese algo,
⇓
que reafirma una creencia, hasta el punto en que llegas a considerar que
⇓
nadie te lo puede negar, que es una señal interna de que
⇓
TU TIENES LA RAZÓN, es decir de que posees
⇓
una "verdad" contigo, que te genera un
⇓
Sentimiento de superioridad que es igual a
⇓
ORGULLO:

= Extrema sensación de seguridad de que algo es como tú percibes. No hay discusión posible acerca de que ese algo sea de otra forma porque para ti es verdad. Entonces, cierras el canal de comunicación, con tu pareja, con tu ser interior o con quien toque.

¿Qué hay detrás de esta máscara?

El orgullo es una máscara que oculta una sensación específica de inferioridad en relación a algo o alguien. Una persona que se sienta orgulloso/a de sí mismo/a se ha puesto un escudo que protege una específica sensación de inferioridad, de no valía o falta de reconocimiento, entre otras. Una persona en la actitud de orgulloso/a sobrevalora ciertas cualidades humanas en si mismo/a y en otros y se vuelve orgulloso/a porque se compara con otras personas que la hacen sentir superior, y desde esa sensación puede llegar a exagerar sus cualidades positivas hasta el extremo de mirar a otros por encima del hombro, con desprecio y afirmándose:

yo soy mejor que otros

yo soy así

ser como soy es bueno, es lo correcto

Todos los seres humanos nos ponemos esta máscara de orgulloso y con ella experimentamos ciertos aspectos de nuestra vida. Es una máscara necesaria. Es una máscara que tiene un propósito en la evolución humana y a lo largo de la vida la usarás, pero como todo, si la usas en exceso se vuelve perjudicial y en contra tuya.

¿Tiene sentido esto para ti?

¿Y si tú estuvieses usando esta máscara en exceso en ciertos aspectos de tu vida y no te estuvieses dando cuenta?

Si este fuera tu caso

91

¿ T e   g u s t a r í a   d a r t e   c u e n t a ?

Permíteme que te comparta lo que observo en las sesiones de Coaching. Recuerda lo que aprendiste en física básica acerca del magnetismo:

¿Qué atrae una partícula cargada positivamente? ¿Algo positivo? o ¿Algo negativo?

Si has respondido negativo,

¡bingo!

porque es exactamente lo que atrae una persona que en la vida real se pone LA MÁSCARA DE ORGULLOSO: ALGO NEGATIVO y doloroso en forma de tragedias, retos, distracciones, bajas prioridades, accidentes o situaciones que van a devolverla al centro de la humildad. Si tú estás pasando por alguna de estas situaciones en estos momento de tu vida, que sepas que es porque te has puesto esta máscara de orgulloso/a, te sientes superior o estás exageradamente cargado positivamente, y cuanto más doloroso sea lo que estás viviendo y más desafiante el reto que estás afrontando, más inconsciente eres de que la llevas puesta.

Un orgulloso es derrotado por la vida tarde o temprano, y cuanto más se resista más pelea, interna o externamente, por querer tener la razón de su lado y eso le desgasta, enferma o envejece. O le manda al hospital por un accidente fortuito. ¿Has visto cómo envejece la mayoría de la gente? ¿Has visto como a veces un accidente cambia la vida a alguien? El dolor físico o traumatismo es el último recurso que la vida tiene para decirle a una persona orgullosa que se está apegando a una mentira que no necesita para vivir.

Pero no me creas, solo te pido que consideres estas palabras y plantéate conscientemente la posibilidad de que no te estés dando cuenta de tu orgullo. Te sugiero que a partir de ahora observes más en que piensas cuando te pasa algo, mira cuando alguien te está humillando a qué parte de tu orgullo está queriendo doblegar.

El precio que se paga por querer tener la razón en algo conlleva algún reto del tipo económico, familiar, profesional o de algún otro tipo. Como tus pensamientos son los que crean tu realidad de forma constante, si pones atención a cómo te sientes de forma continuada, podrás descubrir qué tipos de pensamientos estás teniendo y así podrás ver la conexión entre lo que piensas, lo que sientes y lo que te pasa. Cuando las desgracias vienen juntas, como se dice, es que el orgullo o sentimiento de inferioridad en la psique de esa persona es muy alto, y esos retos los atrae para hacer que la persona se confronte y crezca.

Más vale despertar a tu diálogo interior, porque los pensamientos que afirman inconscientemente tus carencias, tu falta de valía, tus inseguridades y tus miedos, te vuelven adicto a sustancias y te hacen muy desconfiado de que seas capaz de alcanzar lo que sueñas. Si te sientes incapaz de algo, es solo que estás viviendo con mucho miedo condicionado de hacer lo que quieres. Si en algo no te estás sintiendo capaz ahora, prueba a deshacer el nudo perceptual deshaciendo el camino con las pautas que te acabo de compartir y escríbeme un email a oscar@triunfaenelamor.com contándome qué tal te fue.

Cuanto más inconsciente seas de tus máscaras, más sufrimiento perpetúas, y no es precisamente por maldad de la vida, es solo un mensaje para decirte que la mentira que no necesitas para vivir es la de creer que ERES MEJOR QUE OTROS. Porque,

TU NO ERES MEJOR QUE OTROS.

ERES SOLO DIFERENTE.

Poner a alguien en un pedestal es ponerte a ti en un agujero

La atracción por similitud que dos personas sienten entre sí les potencia su orgullo individual y les reafirma en la identificación mutua, aviva su deseo de conocerse y aumenta la atracción entre ellos. Finalmente esta atracción podría convertirse en enamoramiento, que para mí significa: dos seres humanos, "orgullosos de sí mismos", están dispuestos a conocerse un poco más.

¿Te resuena?

¿Te has sentido alguna vez enamorado/a?

El orgullo, al ser una actitud que está asociada a alguna inseguridad, miedo o culpa interior, cuando entra en juego en tu vida desde la debilidad que se esconde detrás, te ciega y te impide ver ciertos aspectos que también existen en ti. En estos casos aparece en tu percepción la atracción por complementariedad hacia algo o alguien. Este tipo de atracción activa El ENAMORAMIENTO poniendo a la persona que conoces en un pedestal, admirándola en exceso hasta el punto de idealizarla. Miras a esa persona como la más importante, la más grandiosa y que tiene justo aquello que a ti te falta. Esto genera la segunda mentira más importante que se crea en tu mente: asumir que las cualidades positivas o experiencias/vivencias que esa persona te ofrecerá, no las tienes y por lo tanto tampoco se las puedes ofrecer a otros.

Las creencias que nazcan de tu orgullo alimentan indirectamente el específico sentimiento de inferioridad que sientes y lo perpetuarán hasta que te hagas consciente de él y decidas cambiarlo.

Este tipo de enamoramiento hacia alguien está equilibrado con un resentimiento hacia ti mismo/a que te coloca en un hoyo y hace que te mires con cierto rechazo, desprecio o minimización inconsciente que afirma:

A mi me falta eso = YO NO SOY ASÍ.

Ahora que lo/la he encontrado = VOY A SER MEJOR

No me quiero separar = AHORA PODRÉ SER FELIZ

LA EUFORIA es la emoción que experimentas cuando exageras los aspectos positivos de una situación, al conseguir un éxito, un logro, un reconocimiento. Celebrar un resultado exitoso conseguido es sano y sabio, pero llevado al exceso podría alimentar tu sentimiento de superioridad y tu orgullo, lo que termina siendo muy habitual en la realidad en la que vivimos y acaba por potenciar lo que anteriormente hemos descrito con el orgullo.

¿Te reconoces en el estado emocional ORGULLOSO de alguna manera en tu vida?

Aún si no sabes si llevas esta máscara sin darte cuenta y te gustaría descubrirlo, en esta dirección www.bonustriunfaenelamor.com pondré a tu disposición más información.

¿Para qué el enamoramiento?

Si te estás dando cuenta, estarás intuyendo que el propósito del enamoramiento poco tiene que ver con solo hacerte sentir bien ¿no? El enamoramiento llega a tu vida para sacarte tus dolores más profundos. Hay muchas formas de vivir el enamoramiento y describirlas es casi enciclopédico porque las relaciones humanas son como cada persona la viva. Sin embargo, la esencia de cómo funciona el fenómeno de atracción y las emociones positivas como el enamoramiento, el orgullo y la euforia es la misma: positivo unido a negativo es equilibrio. Puedes comprobarlo en tu propia vida volviéndote consciente. En la realidad físico material no se ve la esencia del equilibrio a simple vista porque todas las percepciones ocurren de forma mucho más compleja. Por ejemplo, cuando te sientes atraído/a o te enamoras de una persona es por una combinación de atracción por similitud y complementariedad y entran en juego muchos otros factores individuales.

Lo que te estoy queriendo compartir de todas las formas posibles es que en tu mente una emoción positiva no se empareja con una emoción positiva, sino que está hermanada exactamente con la emoción opuesta complementaria. Y que tu percepción es un regulador al cual puedes acceder de forma consciente si tomas consciencia de la relación entre pensar, sentir y actuar. Las creencias que crean tus patrones de pensamiento se hermanan de la misma manera, por pares complementarios formando los patrones condicionados en tu mente. Estos patrones de pensamiento te gene-

ran patrones emocionales y patrones de conducta. Todo esto mez-
clado, hace que crees la realidad que vives, te guste o no. Tu laberinto emocional no es visible a tu instinto, él solo contribuye a
crearlo, y tú, cuando estás dirigido solo desde tu instinto, tampoco
puedes hacerte consciente de la salida del laberinto ya que necesitas de la auto observación para desasociar lo que ocurre y lo que
te hace sentir. A este proceso de desidentificación es al que tu pareja te va a ayudar, quieras o no. Y dependerá de ti y de cuánto
estás dispuesto a transformar tu percepción de ti mismo/a en relación a tu dolor primordial y a tus heridas emocionales.

Existe una psicología interior en las relaciones de pareja a la que
necesitas prestarle su debida atención porque sin conocer los se-
cretos que regulan la psicología de las relaciones, difícilmente al-
canzarás sentirte pleno contigo mismo/a pues tu pareja no solo
será una fuente de felicidad, sino también el caldo de cultivo del
malestar interior que te llevará a la tumba si no sabes cómo "quitarte de encima tu dolor". Esta primera fase de atracción tiene un
final que, estadísticamente, el tiempo máximo de media que dura
es de dos a tres años. Esto significa que la atracción y tu enamoramiento por alguien nacen predestinados a convertirse en un resentimiento o repulsión igual de intensos que fueron al principio
con la persona. El enamoramiento es el inicio de un ciclo emocional y una oportunidad para que descubras lo que más ocultas
de ti.

¿De quién te enamoras?

El precio de tu enamoramiento lo determinará el valor que te va
a traer lo negativo. Cuanto mayor sea el apego más grande la
oportunidad de crecer. En esta fase del amor, las personas crean
las fantasías o expectativas que algún día quieren vivir, y pocos se
enfocan en crear los hábitos que les permita construir esa relación
que quieren de corazón. Y si no es así, es porque la mayoría de la
gente enamorada asume por verdad ilusiones vanas y posibilidades no realistas. Hace unos años participaba en un seminario
como coach de apoyo y, mientras trabajaba con una de las parti-

cipantes que había venido al curso, me di cuenta que las personas no se enamoran de otra persona sino de una imagen idealizada que crean en su mente acerca de cómo cree que esa persona será o se comportará con ellas.

NOS ENAMORAMOS DE UNA FANTASÍA EN NUESTRA MENTE,

no del ser humano que tenemos delante de nosotros.

Las personas cuando se enamoran por primera vez no imaginan que les traerá un dolor después. La inteligencia de la vida juega con ventaja porque te disfraza de dulzura tu dolor primordial para que, una vez enamorado/a, no tengas reparo en conocerte mejor y recordar lo que habías olvidado. Y es normal que sea así, porque es la forma de doblegar a tu razón, ya que si enamorado/a caes y a priori tu razón sabe que un dolor vendrá, no te acercarías. Cuando la atracción es demasiado fuerte y tu razón te dice que te alejes de esa persona pero no puedes, entonces estás delante de una persona que es un regalo en tu vida, porque ha llegado para ayudarte a liberar tu condicionante más grande de tu dolor primordial. Estas son las relaciones en las que se suele percibir mucho dolor y sufrimiento, porque el apego es antiguo y profundo.

El enamoramiento visto desde la perspectiva de la oportunidad de que tus dolores salgan a la luz, reencuadra muchos conceptos. Una atracción extrema llega cuando actúas inconscientemente tu adicción de forma subconsciente. El instinto te lleva y te dirige hacia allí, una atracción se hermana a una repulsión, un dolor con un placer. Esta es una forma refinada en la que el ying y el yang actúan sincrónicamente: el dolor que te traerán la desilusión y las expectativas rotas es beneficioso para destruir tus patrones condicionantes porque eso es lo que te hará crecer.

¿De dónde brotan las fantasías del supuesto hombre o la supuesta mujer ideal? De los modelos aprendidos socio-culturales y familiares en la infancia: de Papá y de Mamá, de sus relaciones entre ellos, de sus relaciones con los otros miembros de la familia y de sus relaciones con la sociedad…Y por supuesto de una mezcla de todo esto junto. Ese es el laberinto perceptual en el que te has metido para aprender algo que vale el precio que vas a pagar.

¿De qué cualidades te enamoras?

Te enamoras de un aspecto de ti por el que estás "resentido", es decir de cualidades que no las reconoces en ti, de algo que crees que te falta, de algo que te faltó mucho y LO ECHASTE DE MENOS o lo sigues echando de menos, de algo que te sigue faltando desde hace mucho y no lo encuentras….La imagen idealizada de la que te enamoras es una recreación de todos estos aspectos juntos que realmente no sientes que los tuviste o que no los tienes con la intensidad con la que los proyectas en la persona de la que dices que te has enamorado/a.

No existe la fantasía del hombre o la mujer que has imaginado. ¿Sabes lo que le está faltando a todas las fantasías que creamos en la mente? La dualidad de la realidad. No existe un ser humano que solo te vaya a causar placer, alegrías, beneficios, sin embargo las fantasías sí se crean bajo el supuesto de la irrealidad de que tu pareja sí te puede dar más de una cosa que de otra. La experiencia en la realidad te rompe la expectativa puesta en tu fantasía cuando descubres el otro lado de esa persona. Te enamoras de alguien que no existe. No existe un ser humano dedicado a ti EXCLUSIVAMENTE. Y si alguien te dijese que sí, ¡cuidado!, puede estar mintiendo o, si no miente, es una persona tan insegura de sí misma que te puede traicionar cuando encuentre algo que le de más seguridad de la que percibe contigo.

¿Por qué no encuentras lo que echas de menos…?

Porque lo que buscas EN EL PRESENTE es lo que echaste en falta EN EL PASADO; lo estás buscando de la forma específica y concreta que no estuvo en el pasado o de la forma que tú esperabas y sigues esperando que esté. De la forma que asumes que debió estar no lo vas a encontrar hasta no reconocer la verdadera forma que en verdad sí estuvo en tu infancia. Solo así descubrirás que nada te faltó, y que si tú asumiste como verdad una carencia ilusoria fue tan solo para hacer el camino de tu aprendizaje primordial de descubrirte a ti mismo. Por ejemplo, si percibiste que te faltaron abrazos de tu madre/padre porque no estuvieron físicamente en tu infancia de la forma que tú esperabas, buscarás ser abrazado/a de esa forma que percibes que te faltó. Pero la verdad no es que te faltasen abrazos de tu madre o de tu padre, sino que otros abrazos de otras personas te hicieron sentir lo que esperabas de ellos, pero como en tu mente está la fantasía de una madre o un padre que no tuviste asumes que sí te faltó un padre o una madre. Pero no es que te faltó, es que los tuviste de una forma que no te has dado cuenta. Y te vas a enamorar de lo que esperabas encontrar con ellos, sin embargo no lo encontrarás y el enamoramiento se acabará convirtiendo en DESENGAÑO Y RESENTIMIENTO. Y si ahora ya estás aquí, es más sabio que antes de salir corriendo descubras el mensaje para ti. Este es el momento cuando empieza la GRAN FIESTA.

¿Y si hubiese la posibilidad de encontrar algo mejor de lo que estás buscando?

¿Te quedarías y buscarías…?

4. LA SEGUNDA FASE DEL AMOR: EL RESENTIMIENTO

No hay hoyo que te merezca más que tu amor

La repulsión. El dolor

Sigamos viendo un poco más sobre otros aspectos del equilibrio invisible de nuestra realidad física, nuestra psique y de nuestra pareja. El fenómeno de la repulsión es inseparable al de la atracción. Realmente es la misma fuerza vista desde otra perspectiva. Una onda es un movimiento ondulatorio que para desplazarse a través del espacio necesita de un declive y un pico, pues es así como al subir y bajar gana impulso para retroalimentarse a sí misma. Tú también necesitas de esta misma dualidad, del enamoramiento-resentimiento, de la euforia-depresión, para desplazarte por tu camino vital, elegir experiencias y aprender de todas ellas.

Tu magnetismo personal repele personas, situaciones y experiencias a costa de atraer otras. Tu poder de atracción externo es equivalente a la fuerza con la que tu instinto te repele de tu dolor primordial. La ilusión de quitártelo de encima produce el movimiento que atrae las energías complementarias que supuestamente te calmarán: personas, situaciones o experiencias. Tu poder de repulsión externo se mide por la capacidad que hayas desarrollado de decir "no" con independencia de tus miedos o culpabilidades que pudieran interponerse. Saber decir "no" es un aprendizaje y un signo de fortaleza interior sobre el que se sostiene la autenticidad de ser tú mismo/a.

En el fondo, los seres humanos tenemos miedo de mostrarnos por quienes somos, por eso nos ponemos máscaras que nos ayuden y nos hagan llevaderos nuestros miedos. Vivimos minusválidos por el miedo pero por otro lado nos enseña a ser nosotros/as mismos/as. Ser tú mismo/a es un descubrimiento indefinido, es el viaje de conocer lo que desconoces de ti, es un autodescubrimiento personal. Si no te gusta algo no tienes que comértelo, pero en aquello que no te gusta hay algo que necesitas aprender y por eso aunque huyas, te lo encontrarás, para que aprendas que EL AMOR ES ALGO DISTINTO DE LO QUE IMAGINABAS.

El dolor se empareja con el placer

Tu dolor vital primordial, tus heridas emocionales, tus expectativas rotas, tu percepción de carencias, tus sensaciones de vacío y lo que crees que te faltó están emparejados con tus gustos primordiales, tus deseos, tus sueños, tus talentos y fortalezas, tus valores primordiales y todo lo que es importante para ti. Que no seas consciente de esta conexión no significa que no esté. La repulsión que sientes por tus dolores vividos te conducirá ineludiblemente a ellos. En todas tus heridas está escondida hábilmente una fortaleza. Incluso en la ausencia de un padre o una madre. El resentimiento también tiene su propia química y cuanto más se acumula en el interior es el detonante de la autodestrucción del cuerpo físico a través de las enfermedades. Tanto como te resistes, tanto más las crearás, porque son las enfermedades, las que en última instancia te llevarán a sentir el amor que no tuviste, ellas doblegarán cualquier mentira de tu razón.

La mayoría de las relaciones de pareja terminan en esta segunda etapa asumiendo que el amor se terminó, y lo asumen así **porque habían confundido el enamoramiento con el amor.** El enamoramiento ha terminado pero no el Amor. El fin del enamoramiento se da porque descubres el espejismo de la ilusión y la mentira que habías creado:

...descubrieron cada uno por su lado que estar juntos no era tan bueno como habían imaginado...

Lo que pareció el antídoto resulta un veneno que no quieres beber.

Tú prefieres que tu pareja cambie, pero querer que tu pareja cambie no es muy "amoroso" por tu parte. SU ACTITUD NO CAMBIA – SIGUE IGUAL –.

Y se empezaron a recriminar y a culpabilizar...

Las desigualdades versus la complementariedad

Nos sentimos repelidos de nuestra pareja por algunas de estas dos percepciones: somos diferentes o somos incompatibles. Si ves que tienes desigualdades con tu pareja, te desidentificas de ella y se reducen las ganas de conocerla, de saber sobre ella, de estar a su lado, de pasar tiempo juntos, y a medida que la repulsión aumenta, deseas estar más lejos de esa persona y de tan lejos que quieres estar, si pudieses no la volverías a ver. Y si realmente puedes dejar de verla, te marchas. Las diferencias te reafirman en tu orgullo, en que tú eres mejor y en tus razones que lo creen así.

Habitualmente tu pareja se acaba convirtiendo en alguien de tu pasado que aún tienes atragantado, tu padre, tu madre o algún adulto de tu pasado, y te hace sentir que lo fundamental que esperabas que llegue no llega, ni llegará.

LO FUNDAMENTAL NO LLEGA COMO QUIERO

¿Qué es lo fundamental?

Sentirme seguro y AMADO

Como tú esperabas que la persona se comporte como el ideal del que te has enamorado y no hace lo que tú esperabas, descubres que tu pareja tiene las mismas carencias que tienes tú. Y si tiene las mismas carencias significa que tiene la misma inseguridad, con lo cual sus inseguridades te reflejan lo que no te gusta de ti y te conectan con lo que no quieres sentir.

Espejito, espejito, ¿quién es el más bonito/a?

En esta etapa de la relación ves la incoherencia entre lo que dice y lo que hace, su dependencia o su debilidad por cosas/personas, el egoísmo de poner por delante sus necesidades y el desafío a tu escala de valores haciendo justo lo que tú dices que no haces ni harías.

Hay tres emociones negativas extremas con las que nuestra percepción se polariza: AUTO MENOSPRECIO, RESENTIMIENTO y DEPRESIÓN. Las tres se caracterizan porque son evaluaciones parciales exageradas que consideran principalmente los aspectos negativos de lo que observas: el resentimiento exagera los aspectos negativos de una persona, la depresión exagera los aspectos negativos de una situación y la sensación de inferioridad o auto menosprecio exagera los aspectos negativos de ti mismo/a. Estas tres emociones negativas extremas exageradas llegan a convertirse en una forma de mentira o ceguera inconsciente que te esclaviza porque enfocas tu atención en los aspectos negativos y no ves los aspectos positivos ni de la persona, ni de la situación, ni de ti mismo/a. Y mucho menos verás los beneficios ocultos que te trae defender tu resentimiento con toda tu razón. Como ejemplo, fíjate el recorrido más común que la percepción de una persona hace para colocarse la máscara de auto menosprecio.

UNA EXTREMA SENSACIÓN DE INSEGURIDAD al percibir que algo/alguien te falta produce

⇩

Una extrema sensación de CARENCIA o FALTA DE AMOR que tratas de calmar afirmando una creencia hasta el punto en que llegas a considerar

⇩

que vales menos, que es la señal interna de que

⇩

NO MERECES, lo cual te produce

⇩

Un sentimiento de inferioridad = SOY MENOS que otros

⇩

AUTO MENOSPRECIO

=Extrema sensación de inseguridad porque percibes que algo te falta.

Hay evidencias tangibles de que ese algo, te falta de la forma que lo buscas, y pones mucha atención en la forma que tiene tu carencia y eso alimenta tu sensación de minusvalía, ataca tu estima personal, te sientes poco capaz o incapaz completo, lo cual acaba por hacerte sentir más pequeño de lo que eres en verdad y te vuelve tímido, reservado y subordinado a algo/alguien, especialmente a todos tus miedos. Entonces, cierras la posibilidad de relacionarte con ese algo/persona, con tu ser interior o con quien toque.

¿Qué hay detrás de esta máscara?

El auto menosprecio es una máscara que oculta una sensación específica de superioridad en relación a algo o alguien. Una persona que se siente menos en algo se ha puesto un escudo que protege una específica sensación de superioridad, de auto sobrevaloración y auto reconocimiento. Una persona en la actitud de auto menosprecio minimiza ciertas cualidades humanas en sí mismo/a y sobrevalora otras cualidades humanas en otros/as; se auto menosprecia porque se compara con otras personas, y desde esa sensación puede llegar a exagerar sus cualidades negativas o carencias hasta el extremo de mirar a otros con admiración poniéndolos en un pedestal y afirmándose:

Yo soy peor que otros

Yo no soy así

Ser como soy es malo, es lo incorrecto

Todos los seres humanos nos ponemos esta máscara de auto menosprecio y con ella experimentamos ciertos aspectos de la vida. Es una máscara necesaria. Es una máscara que tiene un propósito en la evolución humana y a lo largo de la vida la usarás, pero como todo, si la usas en exceso se vuelve perjudicial y en contra tuya. ¿Tiene esto sentido para ti?

¿Y si tú estuvieses usando esta máscara en exceso en ciertos aspectos de tu vida y no te estuvieses dando cuenta?

Si este fuera tu caso

¿ T e   g u s t a r í a   d a r t e   c u e n t a ?

Permíteme que te comparta lo que observo en las sesiones de Coaching. Recordemos otra vez física básica de magnetismo:

¿Qué atrae una partícula cargada negativamente? ¿Algo negativo? o ¿Algo positivo?

Si has respondido positivo, otra vez…

¡bingo!

Porque es exactamente lo que atrae una persona que en la vida real se pone LA MÁSCARA DE AUTO MENOSPRECIO: ALGO POSITIVO y placentero como el apoyo, la ayuda de otros, las alabanzas, el reconocimiento de otras cualidades suyas, la dependencia y menos responsabilidades. Una persona se subordina a algo por un interés personal. Así es como tu ORGULLO necesita estar equilibrado en tu psique. Tu orgullo y tu auto menosprecio necesitan estar hermanados para que tú estés en el equilibrio del Amor. Todo es equilibrio.

Puede parecerte un poco complejo, y lo es en cierto sentido porque no es evidente qué específico orgullo se empareja con qué específico auto menosprecio. Pero el hecho de considerar que el equilibrio está subyacente, de alguna forma te mantiene alerta y te incentiva a que tú busques las conexiones en tu mente y puedas disolverlas. Tampoco se puede determinar cuál es primero, si el orgullo o el auto menosprecio, pero poco importa, pues en el momento de disolver uno, el otro se disuelve automáticamente. Son sincrónicos y en aquel en donde pones tu atención, crece y se hace más notable pero no significa que el otro desaparezca, sino que también crece en proporción.

Tampoco me creas por defecto en este caso. Solo te sugiero que observes a partir de ahora qué relación hay entre las alabanzas y elogios que recibes y tu estado de ánimo. Observa que cualquier alabanza externa o interna se equilibra fuera o dentro de ti de alguna manera. Si observas con atención descubrirás que hay gente que te apoya diciendo en el silencio, *"no estoy seguro que puedas hacerlo solo, pero ánimo, te apoyo"*. Hay muchas formas en las que esta dinámica se manifiesta en la realidad, pero lo que es común en todas es que el equilibrio no desaparece. Es muy interesante observar cómo actúan las emociones complementarias, porque a priori, no es visible y se cree que las emociones positivas son las buenas y las negativas son las malas, sin embargo, vistas desde la psique del observador que las crea se ve muy diferente qué es bueno y qué es malo. Es cuestión de perspectiva y de ver qué estrategia está realmente en juego en la mente del observador para que el observador consiga lo que quiere. Por ejemplo, si un observador no desea realmente adquirir ciertas responsabilidades en su vida, la actitud de auto menosprecio es solo una estrategia para quedarse como ha elegido y así no tiene obligación de hacer cosas que no quiere. Detrás de todas las emociones al final encontramos un miedo o una culpa. Una cosa es lo que una persona dice que quiere, pero sus actos hablan más alto acerca de qué es lo que realmente necesita ahora.

Poner a alguien en un agujero es ponerte a ti en un pedestal

Cualquier relación demanda la adaptabilidad mutua de las escalas de valores individuales, esto lleva a negociar un intercambio y trae ciertas renuncias personales. La habilidad para crecer juntos en pareja es aprender a pactar desde la escala de valores de tu pareja sin renunciar a tu escala de valores. Si la adaptabilidad no se produce las diferencias se acentúan y lo que antes parecía igual, ahora se muestra diferente. Si antes pusiste a tu pareja en un pedestal y a ti en un agujero, ahora pondrás a tu pareja en un agujero y tú te subirás al pedestal: antes te minimizabas tú, ahora te sientes herido/a y por lo tanto superior a tu pareja.

Este tipo de resentimiento reafirma la falsa auto imagen de tu orgullo.

Yo soy mejor

Yo no hago eso que tú haces

Yo no soy así

LA DEPRESIÓN es un estado emocional que experimentas cuando exageras los aspectos negativos de un error, de una equivocación o de un fracaso. Todo ello llevado al exceso, alimenta el auto menosprecio y te perpetúa en lo que hemos descrito arriba.

Aquello de lo que presume es de lo que carece. Este es el refrán que sintetiza en cierta forma este equilibrio del que te hablo. Una persona que está enfocada en sus carencias también suele tener comportamientos que la hacen sentir muy orgullosa de sí misma. Se suele vivir desde la inconsciencia, desde un lugar en el que no eres consciente realmente de para qué haces lo que haces. Si te sientes inferior es porque te estás comparando con otros y si esa es la opción que un día elegiste, fue también porque en tu elección había algo para ti. Que te resientas contigo mismo/a significa que estás en una actitud inconsciente en la que estás enfocado/a en sentir tus carencias de forma constante, y no es precisamente un error de la vida, sino porque necesitas darte cuenta de que no eres ni mejor ni peor que nadie, sino TAN DIFERENTE DE TODOS QUE ERES ÚNICO. Y el hecho de sentir tus carencias te llevará a despertar a tus fortalezas algún día, tarde o temprano, te niegues o no.

¿Para que el resentimiento?

La expectativa rota, el desengaño o la desilusión ponen fin al ciclo positivo o primera fase del Amor, y con ellas también se empieza otro, EL RESENTIMIENTO, que es la continuación del ciclo anterior. Los dos juntos crean un ciclo mayor y se mantienen inseparables de forma continua, como el día y la noche de nuestra psique. El enamoramiento por alguien inevitablemente sacará a la luz el resentimiento hacia ti, hacia otros/as o hacia tu pasado. El resentimiento es el paso necesario que necesitas dar para que empieces a verte a ti de forma diferente y también para que mires a tu pareja y a tu pasado con los ojos del equilibrio. El resentimiento es simplemente otra máscara que las personas usamos en nuestra evolución personal.

Te invito a que miremos juntos lo que hay detrás del resentimiento. Y revisemos, primero, lo que el diccionario de la RAE nos dice de esta palabra:

**Resentirse. *1. prnl. Empezar a* flaquear (|| *debilitarse). 2. prnl. Tener sentimiento, pesar o enojo por algo.* Pesar 1. m. *Sentimiento o dolor interior que molesta y fatiga el ánimo.*

Debilidad / Pesar – ENOJO

Nos enojamos porque las cosas no son como esperábamos que fuesen. El enfado es el grito de un DESENGAÑO, DESILUSIÓN o EXPECTATIVA ROTA. Quizás tengas la tentación de pensar: "pues ya está, con no esperar nada de nadie, todo se soluciona". Sí, esta actitud es interesante, pero no puedes eliminar ninguno de los ingredientes de la evolución en el CAMINO DEL AMOR, y las expectativas rotas es uno de ellos y no te librarás de ellas, a lo sumo, puedes desarrollar tu habilidad para no quedarte mucho tiempo en la desilusión. Recuerda que dijimos que te sientes atraído de cualidades que no reconoces en ti, las cualidades que no reconozcas en ti te harán sentir carente, débil y menos válido. El resentimiento, en el fondo, es tu sentimiento de inferioridad o la debilidad interna que se esconde detrás de tu ORGULLO.

La sobrevaloración de ti mismo o de otros te debilita y te resiente contigo. Por ejemplo, el hecho de considerar que no tuviste los abrazos de tu padre o madre de la forma que esperabas, te crea una fantasía de que HABERLOS TENIDO HABRÍA SIDO MEJOR PARA TI y este pensamiento es una actitud que sobrevalora los abrazos que echaste en falta. Comprar la fantasía de que tu vida habría sido o sería mejor si hubieses tenido esos abrazos, te coloca de manera automática en una sensación interior de minusvalía:

YO NO TUVE – SOY MENOS- YO NO VALGO –

NO MEREZCO - NO SOY SUFICIENTE

Y todas ellas son gritos de tu propia voz que te menosprecia con ayuda de la mentira o ilusión que compraste asumiendo que no tuviste. Tu vida no habría sido mejor si hubieses tenido lo que echaste en falta. SOLO HABRÍA SIDO O SERÍA HOY DIFERENTE ¿Sabes lo que significa esto? Que hoy te estarías quejando de otras cosas que no habrías tenido si hubieses tenido lo que esperabas. ¿Y de qué te estarías quejando? Pues míralo tú, observa qué habrías perdido en esos momentos y a través del tiempo si hubieses tenido lo que no tuviste. El camino que has andado habría sido otro, los pasillos del supermercado que recorriste habrían sido diferentes.

¿Qué personas, experiencias o situaciones que realmente amas hoy no habrías conocido o vivido si hubieses tenido eso que te enfada o por lo que tanto lloras?

En mi caso, descubrí que yo no hubiese tenido el padre que tuve. Y amo a mi padre. No habría tenido a mi segundo padre, ni toda su sabiduría y compañía que me ha dado durante años. No habría tenido a mis hermanas pequeñas, ni habría viajado todo lo que viajé en mi niñez, ni me habría ido a vivir a España, ni hubiese conocido a la madre de mis hijos, y por lo tanto no habría tenido los hijos que tengo hoy, a quienes amo cada día más. Si mi madre no se hubiese separado, yo habría vivido de otra forma, de otra manera, mi experiencia en la realidad se hubiese desplegado diferente. Seguro que mi vida hubiese estado también bien, pero elijo abrazar lo que tengo hoy de la forma que lo tengo porque sobrevalorar un pasado imaginado, no vivido, menosprecia el presente y a la gente que está conmigo hoy.

Considerar que vales menos porque no tuviste eso que echaste en falta no solo potencia tu sentimiento de inferioridad o hace que te sientas menos en comparación con otros sino que te vuelves celoso, inseguro y te apegas a alguno de los miedos primordiales: PERDER, FRACASAR, EQUIVOCARTE o SER RECHAZADO.

Es muy importante tener emocionalmente integrada tu infancia y todo tu pasado, porque los recuerdos dolorosos son acicate para perpetuarte en las emociones de carencia. No es posible crear un futuro libre sin librarte de tu pasado imaginado no vivido, sin librarte de la fantasía de una vida mejor por un pasado mejor; crear tu vida desde ese pasado fantasioso te produce la sensación de lucha, de tener qué, de que todo te cuesta un esfuerzo muy grande; te cargas de obligaciones, acumulas desengaños que alimentan tus carencias: sin tiempo, sin dinero, sin rumbo.

¿Qué ocurre si en tu psique quedan recuerdos que apoyan la creencia de qué te faltó lo que dices que te faltó?

Aparecen LAS DEUDAS EMOCIONALES:

– OTROS ME DEBEN A MÍ – YO DEBO A OTROS

– OTROS ME HIRIERON A MÍ – YO HERÍ A OTROS

– Miedo de que te causen dolor – Culpa por causar dolor

Que algo te faltó significa que tuviste beneficios inconscientes

Cuando alguien necesita resentir una emoción de forma continua: YO NO TUVE – SOY MENOS- YO NO VALGO – NO MEREZCO - NO SOY SUFICIENTE, es porque en su psique existe una conexión entre la sensación que esa emoción produce y unos beneficios inconscientes que recibe la persona. Habitualmente es porque hay una lección que necesita aprender la persona. No hay dolor sin placer, ni pérdida sin ganancia.

Descubrir los beneficios ocultos que la persona recibe convierte el resentimiento en una estrategia que la persona utiliza para recibir algo que le calma. En el momento que una persona está dándose a sí misma algo que necesita está haciéndose responsable de sí mismo/a y eso la hace responsable de la realidad que crea, le guste o no el resultado, y la saca del papel de víctima o pobrecito/a del pasado. Solo se pueden descubrir los beneficios ocultos si la persona está dispuesta o preparada para adoptar otro comportamiento, es decir parar transformar su personalidad o forma de relacionarse con otros/as. Esto sería un cambio de estrategia para conseguir los beneficios que recibe.

La mayoría de personas no es consciente de los beneficios ocultos que el resentimiento hacia el padre, la madre o la pareja les ha traído o trae a su vida y no han podido todavía agradecerse a sí mismos/as haber creado su resentimiento. La necesidad de resentir una emoción significa que hay una creencia inconsciente que protege a la persona que si se cambia, cambiará la personalidad que la persona eligió. Y la mente solo permitirá que se cambie una creencia de este tipo cuando la persona está preparada para sentir su dolor primordial y seguir en pie.

La persona de la que te enamoraste y por la que posiblemente ahora estás resentido/a, te va ayudar de todas las formas posibles para que rompas las creencias que te están limitando. La ilusión del enamoramiento es la ilusión de dos personas "orgullosas de sí mismas" que parecen dispuestas a conocerse más pero no saben que tendrán que mirar cada una su propio dolor. La atracción por similitud también se refiere a la similitud de las carencias que cada una lleva a la relación; la complementariedad resulta de que atraes a alguien que no fallará en tocarte lo que más te duele, porque solo así podrás completar tu percepción de ti y de tu pasado: completar significa para mí descubrir el otro lado que no has visto y que por no verlo aún te duele.

Solo el agradecimiento de lo vivido como fue, de la manera que fue, te abre al amor que tienes hoy en tu corazón.

¿De quién te resientes?

Muy a menudo me encuentro con que el resentimiento que una persona tiene por su pareja, es el resentimiento que esa misma persona tiene por sí mismo/a. Su pareja solo le hace de espejo, para que vea fuera lo que no quiere recordar o no puede ver dentro.

¿Cuál sería la mejor forma de calmar tu dolor?

¿Cuál sería la mejor opción para hacer que tu dolor te deje de doler?

¿Cuál sería el regalo que valdría para ti el precio de tu dolor?

Tu pareja es la manifestación de tu inconsciente para que puedas conocer los aspectos de ti que no estás viendo. Tu pareja te refleja lo que tú niegas en ti. Lo que no abrazas y no amas. Lo fundamental es QUE TE AMES A TI MISMO/A POR LO QUE ERES.

Eres DUALIDAD.

TU CRECIMIENTO necesita de que te sientas atraído y rechazado.

De sentirte superior e inferior.

LOS IMPULSOS DE ATRACCIÓN del instinto son inevitables, te sientes atraído/a por otras personas, aumenta el deseo de conocerlas más, que alimenta el deseo de querer estar más cerca y más tiempo con alguien, que aumenta el deseo de BESAR, de TOCAR y SER TOCADO – PASIÓN FÍSICA – DESEO de hacer el amor = SEXO FISICO – SEXO ENERGÉTICO...

LOS IMPULSOS DE REPULSIÓN también son inevitables, tanto te polarizas en uno, más te estás polarizado de alguna forma en el otro. Las GANAS DE CONOCER MÁS coexisten con el CANSANCIO DE LO MISMO.

¿A quién culpabilizas?

Todas tus experiencias positivas o negativas tienen un efecto residual en tu psique que o bien te esclaviza o te hipnotiza. El RESENTIMIENTO se relaciona con el hecho de VOLVER A SENTIR en el presente UNA EXPERIENCIA DEL PASADO. Por ejemplo, si tuviste una vivencia en que tú madre te abofeteó, te duele una vez, si tú la recuerdas cien veces más, no puedes echarle la culpa a esa persona del dolor de las cien bofetadas extras porque has sido tú el que se está recreando virtualmente y está generando un dolor residual. Esta es la semilla del auto maltrato, que está muy arraigada en la psique humana. Una pregunta muy interesante sería ¿cuál es el sistema natural que tiene la vida para que un ser humano se de cuenta de su propio auto maltrato? A través de la ley del espejo, si no es consciente de su auto maltrato, necesitará atraer en la realidad una forma de agresión física. Este punto de vista es conflictivo en ciertos sectores conservadores del estudio de la psique humana, pero es más una limitación metodológica porque estudian al ser humano como un mecanismo más que como un organismo habitado por un SER EN EVOLUCIÓN. Muchos profesionales son técnicos que han aprendido unos métodos de observación y están buscando ciertas respuestas sin cambiar su forma de observar la realidad, a ellos mismos y a su entorno. Estudian la acción-reacción de los seres humanos como causa y efecto, pero este binomio en organismos biológicos humanos se anula, ya que la fuerza de atracción de los opuestos complementarios es igual entre el que recibe una bofetada y el que la da. No existen aún evaluadores que midan la intensidad de la predisposición en el campo energético humano de atraer ciertas experiencias, pero la auto observación entre lo que sientes y piensas y los resultados que obtienes en tu realidad te ilustrará de forma práctica lo que te describo.

La aceptación no es Amor incondicional

Aceptar lo que fue como fue a veces esconde sutilmente el deseo de que las cosas hubiesen sido de otra forma. Es un estado emocional promovido por el entendimiento de los principios del equilibrio pero guarda todavía un dolor, una pena, una lástima de lo que no fue como la persona hubiese querido. Aceptar lo que es como es, es más sano que tratar de cambiar algo que no depende de ti, pero en esa pizca que aún no consigues abrazar está esa pizca que aún no ves en ti. Sea lo que sea que aún no hayas abrazado de tu pareja y por lo que estés resentido/a

¿Dónde tú te estás haciendo lo mismo y no te das cuenta?

¿Dónde tú estás haciendo lo mismo a otros y no te das cuenta?

La aceptación da paso al amor, pero aún no es el Amor incondicional. Si tú fueses el amor que no excluye ni rechaza:

¿Podrías abrazar tu dolor?

¿Y si el dolor, la carencia o el vacío fuesen también parte de tu amor?

¿ES TODO AMOR?

TERCERA PARTE

PERCIBIENDO EL AMOR

EL APRENDIZAJE PRIMORDIAL

YO tengo alas pero no soy pájaro,

YO formo los bosques, tengo troncos, ramas y hojas pero no soy árbol

YO habito en las profundidades de los océanos de la tierra pero no soy pez

Desde mi crecen las plantas pero no soy la tierra...

YO adorno las cumbres de las montañas pero tampoco soy nieve

YO bajo desde las alturas haciendo surcos pero tampoco soy agua

YO atravieso los cielos y genero movimiento a mi paso pero no soy el aire

YO enciendo lo que toco pero no soy fuego

Y me transformo con cada pensamiento,

Y estoy en todas partes y no lo parezco, pues millones de formas adopto

...habló La Luz.

Yo solo existo para que tú seas vista

...le contestó su sombra.

5. REENCUADRANDO EL AMOR

El AMOR es el pegamento que sostiene el Universo

La sombra del amor

A pesar de la limitación de tus sentidos sensoriales y de lo que el
instinto te hacer creer,
EL AMOR ES EL EQUILIBRIO que hermana sincrónicamente:
LA COHERENCIA CON LA CONTRADICCIÓN
El conflicto con la oportunidad
La guerra con la paz
El miedo con la culpa
La muerte con la vida
El cambio de forma física
con LA INMORTALIDAD
El aburrimiento
con la diversión
Hacer lo mismo con
hacer cosas diferentes
El dolor con el placer
El sufrimiento con el éxtasis
La visión interior con la ceguera física
El miedo a lo desconocido con descubrirte a ti mismo
Conocer tus talentos con hacerte humilde a los planes de DIOS
SENTIRTE SANO FÍSICAMENTE CON AMARTE A TI MISMO
Y AQUÍ ES DONDE se confunde lo positivo con lo negativo
Y se olvida que el AMOR ABRAZA TODO.

Principios naturales

La organización sutil del Universo y el comportamiento de la energía y la materia están regulados por principios naturales a los que también se les conoce como Leyes Universales. A medida que avanza la investigación de la ciencia y la espiritualidad se descubren las interconexiones sutiles que existen entre todas las cosas del Universo. Nuestra mente, nuestro comportamiento y la creación de nuestras experiencias en la realidad también se rigen por unos principios o Leyes que todos podemos contrastar. La sabiduría popular ha recogido algunos de ellos a través de cuentos, fábulas, refranes o símbolos que normalmente trascienden el lugar y el momento de la historia en el que fueron escritos. Se hacen universales por la simplicidad que encierran y porque la aplicación práctica de esos principios nada tiene que ver con nuestra voluntad si no con la del Universo o la de la Naturaleza. Vivir en contra de algunas de las Leyes de la Naturaleza es mortal, por ejemplo, si ignoras la fuerza de la gravedad y quieres caminar por los aires tendrías un problema si cruzas dos azoteas a menos que hayas desarrollado tu capacidad de levitar. Del mismo modo ocurre con los principios naturales que regulan la percepción humana, ignorarlos lleva a desarrollar enfermedades mortales. A continuación se describen los **tres principios naturales** desde los que emanan los innumerables que hacen posible la existencia de lo que conocemos como Universo, energía-materia y también nuestra consciencia y comportamiento

1.–La ley del equilibrio

"Zeus ha ordenado que haya verano e invierno, abundancia y pobreza, virtud y vicio y la razón de todos estos contrarios es que exista armonía en el todo".
Epictetus

Un litro de agua te puede salvar la vida si estás con muchísima sed. Bajo las mismas circunstancias, 5 litros te ocasionan un problema de salud irreversible y 30 matan tu cuerpo con total seguridad. Algo tan saludable como el agua en exceso se vuelve mortal. El antídoto es una dosis más pequeña de la misma sustancia de la que está hecho el veneno. La gran paradoja en el universo es que su evolución se sustenta sobre la contradicción. La contradicción sería que algo que da la vida, también la quita y la coherencia nos mostraría que cuando hay exceso de algo es porque hay carencia de otra cosa a la vez.

La forma positiva de hablar de la contradicción es llamándola la Ley del Equilibrio. La Ley del Equilibrio es una de las que se describen en el símbolo del Ying y del Yang: en lo más profundo de la coherencia está la contradicción, porque si no la encontraras no podría existir el cambio. El cambio existe por la posibilidad de que haya algo diferente y lo más diferente que hay de una cosa es su contrario. Igualmente, en el fondo de la contradicción está el deseo de que las cosas sean diferentes, tengo esto, quiero lo otro. La coherencia de tus acciones nace de los resultados contradictorios que pudieras percibir.

Es decir, para la existencia de la vida, en cualquiera de las formas conocidas e imaginables, en la dosis de algo está la semilla de su contrario. Esto es equilibrio, dos cosas opuestas, juntas en el instante, es decir en el mismo espacio y tiempo: Primavera-Verano, Otoño-Invierno, Noche-Día. El hecho de que los dos opuestos complementarios no sean percibidos al mismo tiempo depende del punto de vista del observador más que de la posibilidad de que no exista. Por ejemplo, no puedes percibir la noche y el día al mismo tiempo, no porque no coexistan, si no porque tu tamaño humano es muy pequeño. Tienes que alejarte de la tierra sólida a través de la atmósfera terrestre y ver el planeta desde fuera para ver la existencia de las dos sincrónicamente. Al nivel de la realidad de las ventanas de tu casa solo puedes ver el día, o la noche cuando toque, cada vez. Tú necesitas tu pequeño tamaño humano para crear la ilusión de que la noche y el día están separados, porque de esa forma puedes experimentar las verdades de la luz y de la sombra individualmente. Hay mucha sabiduría y misterio en las dos:

Si lloras porque no puedes ver el sol,
tus lágrimas te impedirán ver las estrellas
R. Tagore.

En esencia, lo que es, es lo que es: cuando por tus ventanas entra la noche, el sol sigue alumbrando a la tierra. Que parezca que no está porque no puedes verlo con tus ojos, no significa que no esté enviando su luz a la tierra y, menos aún, que no sigamos recibiendo los beneficios implícitos de su ausencia. Por ejemplo, la oscuridad nos permite darnos cuenta de que no estamos solos, porque en el cielo alumbran millones de estrellas más como la nuestra. Si la luz de nuestro sol no nos puede guiar durante la noche, la luz de otras estrellas nos marca la dirección y el camino. Pregúntale a los navegantes cuan necesarias son.

La coherencia y la contradicción en esencia son lo mismo, pero al cambiar una palabra por otra modifica el punto de vista del observador. Al modificar el punto de vista, se modifica la sensación interior y amplías tu conocimiento, pero si además de modificar el punto de vista, las palabras confluyen para describir la esencia que hay detrás de lo que ellas nombran, lo que se amplía es tu sabiduría. La ley del equilibrio regula lo que podríamos llamar LA CARENCIA Y EL EXCESO. Lo que existe de algo se debe a la existencia de su contrario.

En las relaciones humanas y de pareja se manifiesta esta ley.

2.–La ley del espejo

Es conocido desde hace muchos años por la ciencia, que todo lo que existe en la Tierra proviene del Sol. Nuestro verdadero hogar es el corazón de una estrella. Nuestra forma física no estuvo manifestada de la misma manera que la ves delante de un espejo hoy, pero todos los componentes organizados que forman tu sistema CUERPO-MENTE estuvieron antes en el Sol. Debido a la diferencia de magnitudes entre el Sol y las partículas subatómicas que componen nuestra energía-materia humana, bien dicho está cuando escuchamos "*estamos hechos del polvo que sale de las estrellas*". Si todo lo que existe en la Tierra ha estado antes en el Sol, quiere decir que todos estamos hechos de lo mismo.

En el mundo subatómico, la naturaleza no distingue entre las partículas subatómicas que crean un lingote de oro o las que crean tu pelo. Esto significa que si dentro de una habitación descomponemos la forma del lingote de oro y cualquier otra sustancia hasta alcanzar el nivel subatómico, en la habitación no habrá ninguna distinción entre las partículas que formaban el lingote y la otra sustancia. Todas son iguales. Lo que hace que se muestren diferentes en la apariencia de forma, textura, color, son más bien características de asociación, contexto y propósito. Dado que las partículas esenciales son las mismas, al percibir un lingote de oro estás percibiendo un reflejo tuyo. Es decir, el lingote refleja tu esencia. Si ves la realidad desde este punto de vista, la realidad entera es un reflejo de sí misma.

En la psicología este principio se conoce como Consciencia Reflexiva, a través de la cual el observador percibe su entorno y las personas con las que interactúa como un reflejo de los aspectos de él/ella. Por ejemplo, si percibes el tronco de un roble, tú puedes percibir esa misma fuerza del roble en tu interior. Tendrás que buscar y reconocer la forma en la que la posees. Está claro que no es de la forma física que percibes en el roble, por su textura, su fuerza, etc, pero no significa que no tengas a tu manera esa fuerza. Quizás es tu voluntad, quizás el enamoramiento o el resentimiento que tienes ahora por tu pareja, la importancia de estar con tus hijos, etc. La consciencia reflexiva no es lo mismo que la proyección de tu percepción al exterior, sino el reconocimiento auténtico de que tú posees de una manera particular y única cualquier cualidad de lo que ves fuera de ti. El reconocimiento se produce en el instante en el que descubres la forma en que tú posees eso que ves, a través de tus valores únicos e individuales. Este punto de vista es mucho más que una metáfora positivista para levantarte el ánimo. Es un planteamiento tan antiguo como la consciencia de las consciencias y si entrenas tu mente para percibir la realidad desde este punto de vista, se producirá un cambio de paradigma completamente revolucionario y sorprendente en tu mente. Esta percepción ha sido uno de los descubrimientos de los últimos cien años por la ciencia occidental, pero se conoce desde muy antiguamente. Si la energía y la materia no se pueden destruir, tampoco se puede destruir lo que vaya implícito en la forma, por lo tanto, al cambiarle la forma a algo, lo que se hace es transformar la forma de las cualidades a otra forma distinta.

La percepción de carencia aflora en la mente de un observador cuando busca una forma específica dentro de un contexto en el que no es posible la manifestación de esa forma. Por ejemplo, si a través de tu ventana entra la luz de la noche y te empecinas en buscar la luz de la forma que la ves durante el día, automáticamente dirás que no hay luz, sin embargo no es una descripción verdadera, tan solo cierta. Durante toda la noche tendrás la sensación de que no está porque el contexto en el que la buscas no es posible. Cuando observas a otras personas por sus cualidades positivas o negativas son también un reflejo de aspectos de ti: egoísmo, generosidad, amabilidad, crueldad, atento, desatento.

En las relaciones humanas y de pareja se manifiesta esta ley.

3.– La ley de la abundancia

Este principio natural tiene muchos nombres según la disciplina que lo describa. La naturaleza nos lo enseña con innumerables ejemplos que muestran que lo grande es el resultado de muchas cosas más pequeñas juntas. Un océano son incontables gotas de agua. Una montaña incontables granos de tierra. Lo grande se apoya habitualmente sobre lo pequeño, y el total resultante es más grandioso que la suma de las partes. La ley de la abundancia regula el intercambio de la materia y la energía entre sí. En el proceso de manifestación de algo se produce un DAR y un RECIBIR sincrónico, tanto como se entrega algo, tanto más abres la posibilidad de recibir en proporción a lo que das. Dado que todo posee una frecuencia de vibración específica, el intercambio modifica la frecuencia de vibración en la medida de la interacción.

Dar: ofrecer materia para algo. - Recibir: tomar lo que es dado.

La cualidad de dar y recibir está implícita en la coexistencia de la naturaleza. Parecen dos actos diferentes, pero en el fondo son la misma y única acción vista desde dos puntos de vista.

Cuando das la semilla a la tierra, *la tierra da frutos*

Cuando la tierra recibe la semilla, tú **recibes los frutos**

Una semilla es la concentración mínima de energía-materia de la manifestación de algo. Es la manifestación concentrada de la esencia de las esencias de algo. El universo es abundante en semillas y para ver sus frutos en su máxima expresión se necesita de tiempo y de un contexto o espacio. Además de haber abundantes semillas y frutos, la perpetuidad es infinita: semilla y fruto hacen de contenedores naturales de sí mismos. Un tomate tiene innumerables semillas que guardan la potencialidad de convertirse y de multiplicarse indefinidamente en más tomates, que a su vez traen la semilla de la perpetuidad de generaciones indefinidas de tomates. La naturaleza entera tiene esta propiedad indefinida y, entre los resultados que ha creado, ha traído la abundancia de formas de vida en la tierra.

Una característica de la ley de la abundancia es que se relaciona con la evolución, crecimiento y expansión de la Naturaleza. En las semillas de cualquier especie, queda registrada la experiencia de lo vivido, es decir, los problemas y las soluciones inteligentes encontradas para resolver los desafíos. Esta información alimenta la expansión de la consciencia de la especie en su conjunto que transmite lo aprendido a las generaciones siguientes. La extinción de alguna especie está hermanada con la aparición de nuevas, según demuestra la historia de la evolución de la tierra. Con lo que, la segunda ley de la termodinámica, *la energía no se crea ni se destruye, solo se transforma*, vista desde una perspectiva más elevada sería: LA ABUNDANCIA NO SE CREA NI SE DESTRUYE, SOLO SE TRANSFORMA.

A través de estos sencillos principios de la naturaleza puedes explicarte muchas cosas complicadas de tu vida diaria permitiéndote acceder a la sabiduría escondida en tu interior. Si deseas conocer más sobre la ley de la abundancia aplicada al desarrollo de una consciencia próspera, puedes visitar esta dirección www.bonustriunfaenelamor.com en la que pondré a tu disposición más información.

El padre y la madre de las emociones

Todos hablan de él y nadie sabe qué es

Todos le sienten y nadie puede describirlo

En su nombre viven o matan y algunos pocos se convierten en él

Definir el AMOR es una tarea pretensiosa y condenada al conflicto. El problema fundamental de cualquier intento de definición es que cualquier clasificación está asociada a un filtro perceptual, bien por una escala de valores individual, por una escala de valores moral o, en la mayoría de los casos, por una mezcla de las dos. Así es como el AMOR se convierte en lo que cada uno quiere que sea. El Amor es, pues, una única cosa que se transforma en millones de formas.

La constante que he encontrado en las clasificaciones escritas u orales, es que las personas lo describen como algo asociado al opuesto complementario del ODIO. La diferencia principal que también he observado, es que las personas perciben el Amor en distintos contenedores de percepción, como pasa con las Matrioskas, unas definiciones abarcan más o menos restricciones que otras. Por ejemplo, hay para quien el amor es solo una llamada de teléfono. Otros lo consideran que es una llamada y un detalle. Otros, que es una llamada, un detalle y un beso. Y, por último, el factor coincidente que encuentro en todas las definiciones tan dispares del AMOR es que las personas lo vinculan a una experiencia que NO EXCLUYE. Es como si la esencia o semilla del AMOR fuese ALGO DONDE ESTÁ CONTENIDO TODO. Esta coincidencia es la característica que más se acerca a la definición del AMOR que se derivara de las Leyes naturales.

El ejemplo que más ilustra, a mi modo de ver, la experiencia del AMOR es el de la radiación de la luz de las estrellas: el Sol emite su luz por igual a todos los seres humanos del planeta sin importar su origen o condición, sin considerar lo que hayan hecho o dejado de hacer. Da igual si fue Teresa de Calcuta o Bin Laden, mientras ambos estuvieron con vida les dio su calor y su luz por igual. No les juzgaba, ni etiquetaba ni clasificaba bajo ningún paradigma de positivo-negativo, simplemente les alumbraba, como sigue haciendo ahora con todos los habitantes de la tierra. Sin esa luz, nada de lo que acontece ocurriría como lo estamos conociendo. Esa fuente primordial que hace posible este escenario, entrega incondicionalmente lo mejor de sí mismo a todos por igual y sin condiciones.

Siguiendo la Ley del Equilibrio, según la cual, aquello que existe lo hace por la existencia de su contrario, ¿cuál sería el opuesto del Amor? EL OPUESTO DEL AMOR INCONDICIONAL SON LAS EMOCIONES humanas, que sí son etiquetas a las reacciones dolorosas o placenteras de la percepción individual de cada observador.

*La **alegría** es la etiqueta con la que describes un evento que te hace sentir de forma positiva porque te da algo que no tienes o te quita algo que no quieres.*

*La **tristeza** es la etiqueta con la que describes un evento que te hace sentir de forma negativa porque te da algo que no quieres o te quita algo que tienes.*

Como el valor de "lo que quieres" o de "lo que pierdes" es individual porque está condicionado a tus valores individuales, la misma cosa que a ti te produce alegría a otra persona le puede producir tristeza y viceversa.

¿Quién tendría la razón de qué es el amor?

Todas tus emociones son estados del ánimo determinados por una percepción de carencia o exceso de algo o alguien que condicionan tu percepción haciendo que pongas tu atención solo en una parte de lo que en verdad está ocurriendo. Si pudieses observar el evento que te hace sentir alegría o tristeza desde una perspectiva más elevada, evaluarías el evento más allá de lo que parece que es en la realidad. Como el día con la noche, que coexisten sincrónicamente. Etiquetar un evento como positivo o negativo es tarea del instinto, por eso, mientras que nuestra mente evalúe las experiencias a través del cuerpo humano, no podemos parar de evaluar o dejar de clasificar con etiquetas positivas o negativas nuestra realidad. Aquel que dice que lo ha conseguido ya, no se está dando cuenta de que se está mintiendo.

El padre y la madre de todas las emociones

Las tres leyes descritas anteriormente son invisibles a la percepción del ser humano en su experiencia en la realidad; la ignorancia de cómo aplicarlas a su favor suele ser la fuente del sufrimiento, desgracias y enfermedades físicas que, bajo la perspectiva de estas leyes, también son oportunidades para resurgir a un nuevo nivel de consciencia. Cuando empezaba a dar conferencias sobre estas leyes, recuerdo que una participante levantó su mano y, emocionada por algo que acababa de escuchar, compartió su experiencia. *Hace 5 años fui a Israel a pasar mis vacaciones y coincidí en un atentado terrorista que me llevó a estar en el hospital durante meses al borde de la muerte. Los cambios que he vivido a raíz de este evento han transformado mi vida completamente, y donde más transformación he tenido ha sido en mi forma de pensar, sentir y de ver la realidad. Estos principios de los que hablas son los que, de forma natural, la vida nos está enseñando cada día con lo que vivimos, pero no somos conscientes realmente. A veces, la vida parece muy brutal, pero en esa aparente brutalidad hay algo que no estamos viendo. Ahora puedo decir, aunque le parezca absurdo a mucha gente, que agradezco lo que me pasó, porque ha sido una de las vivencias más importantes que he tenido por todo lo que aprendido de mi y de la vida.*

Veo con mucha frecuencia el poder que produce en la transformación humana, la aplicación consciente de estas Leyes Universales. La misma realidad, sin cambiar un ápice lo que te está aconteciendo, puede ser completamente diferente si te pones las gafas del equilibrio y miras a través de tu consciencia reflexiva buscando la forma específica de lo que dices que no tienes o no eres. Cuando trabajo con personas, sin importar su procedencia cultural, social, económica o política, y hacemos un recorrido a través de las vivencias de su vida que no han integrado, encontramos básicamente dos emociones primordiales: EL MIEDO o LA CULPABILIDAD. Cuando trabajamos con estas emociones con el propósito de disolverlas aplicando estas leyes, en cierto momento del proceso, las personas se quiebran de gratitud porque descubren que lo que les había ocurrido, o les está ocurriendo, es un regalo de su PROPIA CONSCIENCIA para llegar al lugar exacto al que están realmente queriendo alcanzar en su vida. Es tan increíble lo que se puede llegar a ver que puede parecer mentira cuando lo cuentas. Cuando tu mente integra en tu consciencia un evento negativo como una contribución a tu vida alineada a tus valores primordiales, el mismo evento deja de ser un hecho solo negativo y se convierte en un hecho también positivo; en el mismo instante que esto acontece, el evento deja de condicionarte y se convierte en un trampolín para llegar más alto en tu vida. El equilibrio invisible es el protagonista de la gran obra teatral de la vida en la tierra.

La aparición del miedo y la culpa está directamente relacionada con la percepción lineal del tiempo: AYER, HOY, MAÑANA. El miedo y la culpabilidad resultan de evaluar una carencia o un exceso de algo o alguien en un futuro o en un pasado, cercanos o lejanos. Algo que te faltó en el pasado y te hizo sentir mucha inseguridad se queda registrado en tu memoria como un peligro a evitar. Desde esta perspectiva se habla del miedo como una memoria del pasado. El aprendizaje y la evolución necesitan de las memorias, tanto como un niño al nacer necesita a los adultos para que le cuiden. El miedo y la culpa son los padres que cuidarán de la persona hasta que ese ser humano esté preparado/a para vivir en un contexto y una realidad con mayores desafíos y apoyos.

Percepción del futuro imaginado y del pasado recordado

El miedo lo sientes cuando presupones que en un futuro vas a vivir una experiencia en la realidad que será más negativa que positiva, que te traerá más perjuicios que beneficios o más pérdidas que ganancias, para ti u otros. El equilibrio no permite que esto suceda.

El miedo no viene solo, aunque no seamos conscientes, se manifiesta emparejado con la culpabilidad. Un miedo crea una culpabilidad:

La mentira precede al miedo, después de la mentira aparece la culpa.

Si empiezas mintiéndote por miedo, continúas culpándote por haberte mentido

La culpabilidad es la emoción que te aparece cuando asumes que en un pasado cercano o lejano, a través de lo que hiciste o no hiciste, causaste a otros o a ti, más dolor que placer, más pérdidas que ganancias, más perjuicios que beneficios. El equilibrio tampoco permite que esto sea posible.

Una culpabilidad acerca de tu pasado se queda hermanada a un miedo acerca del futuro. El miedo y la culpabilidad de ser tú mismo, crean las máscaras o mentiras acerca de tu naturaleza verdadera, el resultado es, que te culpabilizas o que temes comportarte libremente. Tu PATRON CONDICIONADO es una nube de cargas emocionales de miedos y culpabilidades sincrónicas e inseparables que crean los muros del laberinto perceptual en el que te percibes; el miedo y la culpabilidad se entrelazan, se mezclan y se multiplican asociándose y alimentándose de otras emociones derivadas del juego perceptual del instinto, al recordar tu pasado o imaginar el futuro. Para trascender el patrón perceptual que te condiciona se necesita radiografiar tu estado emocional para encontrar las cargas emocionales que más te están condicionando y tirar del hilo hasta deshacer los nudos que bloquean tu visión. Así es como encuentras la salida de tu laberinto.

Tu percepción es tu poder

La percepción de tu presente se ve limitada por el patrón en el que te encuentras, que es un tejido de emociones compuestos, principalmente, por miedo/culpa, enfado/ira, tristeza, alegría, compasión. El entrelazamiento de todas ellas entreteje lo que acaba convirtiéndose en tu escudo. Empiezas, sanamente, protegiéndote para cuidarte y de tanto protegerte acabas aislado olvidando quién eres de verdad. De tanto huir del dolor que no quieres sentir, te conviertes en el propio dolor que necesitas abrazar. Eres el primero en rechazar lo que sientes sin darte cuenta que rechazar lo que sientes es una forma de rechazar una parte tuya que viene para ti, desde ti, con AMOR. Nos enfadamos porque las cosas no son como esperábamos que fuesen. Nos entristecemos porque se produce una pérdida y al alegrarnos tendemos a olvidar el dolor.

Tus emociones positivas o negativas controlan tus acciones u omisiones: lo que haces o dejas de hacer. Tu percepción es un regulador de las emociones para crear resultados en la realidad. No podrás evitar que ocurra lo que depende de las decisiones y el comportamiento de otros, pero sí puedes decidir cómo te va a afectar, el impacto que va a tener en tu vida y si la vivencia será un impulsor hacia tus sueños o un obstáculo hacia ellos. Esta consideración es la que marca la diferencia entre la persona que se siente víctima de las circunstancias o quien se siente responsable de sí mismo/a.

A través de mi experiencia en entrenar las mentes de las personas para que vean el equilibrio, he observado que el miedo y la culpa no pueden desaparecer de las consciencias porque son portadores de información para el observador. Si te conviertes en un maestro de tu percepción, transformarás cualquier miedo o culpabilidad en un estado de confianza en ti mismo en cuestión de escasos minutos o segundos; cuánto más rápido desveles la información que te trae el miedo o la culpabilidad que percibes, más consciente y hábil te vuelves en desarrollar tu percepción, tu sexto sentido y otros que no somos conscientes que tenemos. El miedo y la culpabilidad, como buenos padres, nos protegen y desafían por igual, y estarán presentes en nuestra vida guiándonos como lo hace un mapa para ir a ciertos lugares. Al desarrollar tu sensibilidad para sentirlos sin dejar que te condicionen, estás desarrollando tu capacidad de escucha interna y externa permitiéndote conectar con los miedos y culpabilidades de otros humanos. Este estado perceptual se llama compasión, que significa algo así como:

Reconozco el dolor que percibo en ti

El dolor que percibo en ti, es también mi dolor

Cuando abrazas al miedo y a la culpabilidad desaparece el deseo de eliminarlos y los amas de verdad. Al hacerlo, abres automáticamente la puerta de amar a tus padres incondicionalmente por lo que te dieron o dejaron de dar, por lo que son y por lo que serán, con independencia de lo que hacen, hagan o dejen de hacer. Yo denomino a esta sensación interior el estado de plenitud o Amor Incondicional, que es algo más completo que la felicidad.

6. La tercera fase del AMOR: la RUPTURA

*La ruptura es inevitable y no significa ni falta
ni ausencia de AMOR.*

Historia de los dos amantes

Todo parecía no importar cuando estaban juntos.

*Querer compartir sus vidas era tan intenso que echaron raíces y se
convirtieron en dos hermosas plantas, una junto a la otra. Su
deseo se había cumplido y ahora no se separarían.*

*Ni su nuevo aspecto ni el transcurrir del tiempo les hizo perder su
conciencia; pero un día, siendo plantas, descubrieron cada uno
por su lado que estar juntos no era tan bueno como habían
imaginado, recordaron que alguna vez también soñaron con hacer
otras cosas, además de estar con su pareja, tener una casa, hijos,
coches…Y se empezaron a recriminar y a culpabilizar.*

*Al cabo de algún tiempo, uno sintió que aún y con todo, había
amor en su corazón, pero pensó que lo mejor sería separarse.
Concluyó que si su Amor le había llevado a convertirse en planta,
también su Amor, le podría llevar a convertirse en otra cosa.*

Y comprendió que cada uno es lo que elije.

Así, pues, decidió marcharse, pero antes de partir le estuvo hablando al corazón de su pareja y lo último que dijo fue:

Parecerá que te abandono…

Motivos y excusas para la ruptura

No existe una única causa que lleve a la ruptura de una relación como tampoco existe solo el efecto devastador de la ruptura. La ruptura es un resultado y su materialización está íntimamente relacionada con la ruptura de las expectativas personales y de las ilusiones puestas en la otra persona. Una de las mentiras más grandes con la que crecemos proviene de la educación judeo-cristiana que, utilizando la conocida frase *"hasta que la muerte nos separe"* promueve la fantasía de que una relación de pareja ha de ser para toda tu vida. La única forma de que tu relación sea "para toda tu vida" sería haciendo coincidir el día y la hora de la muerte de los dos, sin embargo, las probabilidades de que este hecho ocurra en el mismo instante de forma natural son muy bajas. Te aseguro que tarde o temprano, la relación en la que estás se acabará y no será necesariamente por la muerte de alguno de los dos. Puede parecerte muy pesimista esta perspectiva, pero considero que si reconoces que la relación se acabará, cobra más importancia el camino que hagas al lado de esa persona hasta el último adiós, por muerte o separación, en lugar de "acomodarte" en la relación por tus miedos. He conocido muchos casos de personas que siguen unidas físicamente por el miedo a perder y más bien tendrían mucho que ganar al separarse. Tengo el convencimiento que **ninguna relación se rompe por falta de amor,** lo he visto con mis clientes y lo he vivido en mis propias carnes: **el amor permanece inalterable aunque cambie la forma de ser expresado.** EL AMOR DEL CORAZÓN ES UNO SOLO, diferenciarlo en categorías hace que intelectualicemos el amor a formas específicas de actitudes y comportamientos que restringen su esencia a una moral humana, que es necesaria para vivir en sociedad, pero cuando se trata de la evolución del alma suele obstaculizar el crecimiento y fomentar el sufrimiento. Amar a una persona no tiene exclusiva relación con estar con esa persona toda la vida de la misma forma.

EL CAMBIO es igual a EVOLUCIÓN que es igual a CRECIMIENTO

La verdadera esencia de la evolución del ser humano es el cambio.

El cambio necesita ruptura, cierre y posibilita una apertura.

LA RUPTURA es igual a un PUNTO DE INICIO.

Lo que aprendiste de la ruptura, la pérdida y el fallecimiento

Los lamentos por la ruptura, la pérdida o el fallecimiento son comportamientos y actitudes aprendidas culturalmente. Aparentemente se llora la pérdida de un ser querido por su ausencia física pero detrás de ese llanto hay un lamento de lo que percibimos que ya no podremos tener o recibir de esa persona. Realmente estamos llorando por lo que asumimos que nos faltará, no por lo que le pasará a esa persona que se marcha o que ya no está. Llorar la ausencia de alguien visto desde este lado humano es una actitud de miedo, inseguridad y egoísmo. Lo que he observado en las sesiones de Coaching es que la gente solo echa en falta los aspectos agradables, positivos o placenteros que vivió con la persona que ya no está a su lado. Aún no he escuchado que alguien me diga "echo de menos lo cobarde que era" o "echo de menos que no me escuchara" o "echaré de menos las veces que le pedía algo y no lo hacía". Lo que la gente suele lamentar en cualquier separación cuando siente pena es que lo que esperaba vivir no podrá ocurrir con esa persona de la forma que había imaginado o proyectado. Esto se llama el dolor por la expectativa rota. *¿Dónde queda lo no vivido?* Esta fue la pregunta que me hacía durante las rupturas que viví. Imaginaba que todas esas experiencias no vividas se archivaban en algún lugar del universo en forma de dibujos animados en blanco y negro y que de alguna forma seguirían existiendo porque un día yo las había soñado aunque no realizado. Lo que en realidad da pena, enfado o rabia, suele ser algo parecido a las cosas que se quedaron sin hacer; o que esa persona no entendiese tu dolor de la forma que tú lo vivías; o que esa persona tuviese otras prioridades a las tuyas o incluso que, aún queriendo muchas cosas similares, la forma de hacerlas no era coincidente y a lo que tu renunciabas no te compensaba.

Existe mucha hipocresía alrededor del tema de la ruptura y el fallecimiento de tu pareja a causa de la religión. Aquello de los lutos y las lloreras se ven ridículos en un contexto como el de antes, en donde la pareja con la que vivías era un arreglo económico familiar y pasabas la vida al lado de alguien que jamás hubieses elegido. ¿De verdad crees que había solo pena por la muerte de esa persona? Yo lo dudo mucho y especialmente porque he corroborado que en todas las rupturas de las que he sido testigo en las que sí eligieron a su pareja, aparecía siempre la emoción contraria a la pena o al lamento, es decir, la calma y el alivio. Es menos común expresarlos durante una ruptura, pero muy liberador reconocerlo. En el fondo, si estás llorando por una persona que no se comportaba como tu habías esperado,

¡Qué bien que ya no esté a tu lado!, ¿no?

¡Ahora podrá molestar a otros/as y no a ti!

Todas las actitudes de lamento ponen el foco en ti mismo/a y el hecho de poner la atención con tanta fuerza en el malestar por lo que asumes que estás perdiendo hace que se amplifique tu dolor y te vuelve más vulnerable a la voluntad de otros o al menos a sentir que pierdes tu propio equilibrio. Así es como la mayoría de las religiones utilizan el miedo o la culpabilidad como detonantes eficaces de la inseguridad del ser humano y hacen seguidores fieles. Es significativo que exista la expresión coloquial *Dolor de viuda/o,* que significa *dolor muy fuerte y pasajero...*

El hecho de que el dolor por la pérdida o la separación sea pasajero nos remite a nuestra condición divina, porque desde el amor del corazón, cuando tú dejas a tu pareja o cuando tu pareja te deja, deseas que se recupere, que le vaya bien, es decir, le deseas que le duela lo menos posible o que encuentre la calma lo antes que pueda; e igualmente, en el caso de tu fallecimiento seguro que preferirías que tus seres queridos se queden bien en lugar de sufriendo o llorando por tu ausencia. Sin embargo, se sigue alimentando en nombre de una anticuada moral un dolor exagerado por la pérdida; y la sociedad ve muy mal que si has perdido un ser querido lo celebres o incluso que inicies una relación nueva al poco tiempo de haberte separado. Desde los ojos de ciertas prácticas religiosas no se contempla una segunda oportunidad ante los ojos de Dios, pero yo dudo mucho que Dios quiera obligarnos a estar al lado de alguien en contra de nuestra voluntad. No pretendo negar la existencia del Amor Eterno del que también hablan algunas religiones, solo discrepo en que ese amor mantenga la misma forma relacional entre dos personas, pues si todo cambia, también cambia la forma de expresión del amor y eso no significa que el amor del corazón se acabe.

Si siguieses recibiendo de la persona que echas en falta todo lo que recibías ¿te seguiría doliendo su ausencia? La mayoría de las personas responden que no; y entonces, a partir de aquí, les propongo a mis clientes que busquemos juntos evidencias que corroboren que este hecho es verdad en su vida hoy. Y suelen encontrarlas.

Tipos de ruptura. Te vas o te dejan

La ruptura de cualquier relación nos sitúa en alguno de estos posibles escenarios: TE VAS o TE DEJAN. Las sensaciones emocionales que cualquier ser humano experimenta en la ruptura suelen ser una mezcla entre liberación y abandono, entre alivio y pesar, como si "te arrancasen o te quitasen algo" y como si "te soltases o te desprendieses de algo". En cualquier caso, las sensaciones emocionales que se manifiesten durante la ruptura tienen como propósito principal reconciliarte contigo. Tanto si eres el que se marcha, como si eres el que se queda, tienes delante de ti mismo/a a tu propio reflejo pues tu pareja es el espejo de tu interior: lo que tu pareja hace/no hace, o lo que te gusta/no te gusta, es el reflejo de los aspectos de ti que NIEGAS y RECHAZAS o que NO ACEPTAS y NO ABRAZAS. Cualquier parte de ti que no puedes abrazar, no la puedes amar y si tu no amas esa parte de ti no la amará ninguna persona en la tierra. Sin embargo, parece que es más cómodo "comprar la fantasía" de que otros te den o te hagan lo que no estás dispuesto a darte a ti mismo.

Esta actitud pone tu bienestar en manos de tu pareja y te convierte en una persona dependiente e insegura y por lo tanto te dará miedo que te dejen. Limitar tu bienestar y plenitud a lo que tu pareja haga o deje de hacer por ti es una de las fantasías más comunes que rompe el corazón de las personas. Por esto, una de las ventajas que trae la ruptura es la oportunidad de romper esta fantasía, pues, aquello que no ames de ti y que esperas que otros lo hagan, se convertirá en la fuente principal de tu malestar y sufrimiento en la vida, tanto si estás solo/a o en pareja. Esperamos que nuestra pareja sí nos ame incondicionalmente como somos, pero nosotros no cultivamos este mismo sentimiento hacia nosotros de forma habitual. Nuestro deseo de querer cambiarnos por lo que fuimos o por lo que hoy somos es el obstáculo más habitual que bloquea el amor hacia ti mismo/a. Entre los beneficios que se pueden contar en una ruptura está aprender a amarte a ti mismo/a más. Metafóricamente es como si esa parte no amada de ti reclamase tu atención, tu afecto y tu bendición sincera y utilizase el dolor o el sufrimiento de la ruptura como portavoces para pedirte que te liberes de culpabilidades de hechos pasados o de miedos de posibles hechos futuros.

Considera por un momento que cualquier culpabilidad que pudieses sentir es un lamento del pasado, es como si, inconscientemente, cuando te sientes culpable lamentas el dolor que causaste a otros o te causaste a ti; quedarte en esa sensación es promover un estado interior de rechazo hacía ti mismo/a por lo que hiciste o por lo que no hiciste, esa culpabilidad pues, contamina tu presente y alimenta, por ejemplo, el miedo a equivocarte; también fomenta la autocrítica, la falta de confianza en ti y pone en tela de juicio tu valía. De aquí que otro de los beneficios que puedes tener en una ruptura es darte la oportunidad de liberarte de un pasado que te condiciona en el presente.

Ahora considera por un momento que cualquier miedo que pudieses sentir es también un lamento pero esta vez del futuro, es como si, inconscientemente, cuando sientes miedo anticipas el dolor que te imaginas tendrás en caso de que ocurriese lo que no quieres; quedarte en esa sensación es promover un estado interior de inseguridad, insatisfacción y ansiedad porque dejas de tomar acción o de hacer cosas que son relevantes para ti por el supuesto de que ocurra algo que realmente tiene pocas probabilidades de ocurrir; y esta actitud también fomenta la falta de confianza en ti y pone en tela de juicio tu valía. Los miedos y las culpabilidades son los dos principales obstáculos interiores con los que viviremos para crecer. La ruptura o cualquier situación que te ponga frente a ellos, te permite conocer aspectos más sutiles de sus naturalezas y te aportará una contribución de gran valor para aprender a amarte a ti mismo/a y sentirte pleno/a.

Acortar distancias

Otra de las expectativas que se rompen en una relación es el hecho de haber asumido que tu pareja te iba a dar más alegrías que tristezas, más comprensión que incomprensión o más apoyo que cuestionamiento. Habrás corroborado que esto no es así. El propósito de una relación de pareja no es hacerte feliz, como nos han vendido socialmente, sino facilitar tu crecimiento personal; y tu crecimiento personal necesita por igual de apoyo y desafío, de alegría y de tristeza, de experiencias agradables y de experiencias desagradables. Tu pareja se encargará de que no te falte ninguna de las dos. El motivo de las peleas y discusiones es darnos la oportunidad para acortar distancias no solo con nuestra pareja, sino especialmente entre nuestra luz y nuestra sombra, entre nuestra aceptación y el rechazo a nosotros/as mismos/as. En cualquier discusión no hay solamente dolor, también encuentras la misma proporción de satisfacción que, algunas veces, se manifiesta haciendo el amor con mucha pasión con tu pareja después del enfrentamiento.

La ruptura será la opción que eliges cuando el dolor de quedarte con tu pareja sea más grande que el dolor de separarte. Cuando al menos uno de los dos llega a esta conclusión, la ruptura física se ejecuta inexorablemente aunque no necesariamente se produzca entendimiento en la forma ni en las condiciones de separación. En una ruptura suelen estar heridos los dos, cada uno a su manera; y cada cual querrá su compensación por la pérdida o querrá retribuir al otro desde su culpa. La combinación de ambas en distintas proporciones, y el resentimiento mutuo acumulado durante la relación, son la materia prima con la que se negocian y acuerdan las condiciones económicas o emocionales de una ruptura. Sin embargo, me pregunto ¿cómo serían los acuerdos económicos de dos personas que se despidiesen con gratitud por haber estado juntos equis tiempo? ¿Cómo serían las separaciones si ambos pudiesen celebrar su ruptura con la misma alegría que les unió a su pareja? Muchas veces he observado que el resentimiento es solo un arma que se adopta a modo de estrategia para conseguir algo que se quiere. Termina por convertirse en una elección inconsciente que disfraza una actitud similar a "yo tengo razón". A veces, también esta actitud se arraiga en forma de enfado permanente que acaba por modificar la fisiología de la persona produciéndole señales y síntomas en su cuerpo. Las emociones que la persona decide mantener serán el veneno que atentará lentamente contra su salud, haciéndole envejecer y padecer.

A la persona que dejas

Quedarte en una relación para no causar daño es solo una forma de ESCONDER MIEDOS e INSEGURIDADES PERSONALES y alimentas tú insatisfacción y el malestar de tu pareja. ¿Te gustaría que tu pareja te mienta? ¿Te gustaría que tu pareja finja para agradarte? Quedándote en una relación que no te satisface es una forma de mentirte a ti y a tu pareja. Puede ser cierto que no sepas qué miedos son los que te retienen, pero si deseas descubrirlos es una elección que puedes escoger. Muchas veces veo que las personas con miedo a separarse al final acaban viviendo desde una ruptura interna y acumulan resentimiento hacía sí mismas que las destruye porque se castigan de forma muy severa auto lamentándose de su inseguridad, de su cobardía o de sus escaseces. Si te planteas irte de una relación, te vas porque tienes tus motivos y unas necesidades que deseas cubrir. Es lícito que si lo que buscas no lo encuentras, desees encontrarlo. Si dejas una relación conscientemente, le estás haciendo un favor a tu pareja, porque al quedarte estás sembrando infelicidad para el futuro de los dos y para vuestros hijos en caso de que tengáis. Puede que evites el dolor de la separación a corto plazo, pero no significa que vayas a evitar causarle dolor a tu familia. Tu insatisfacción silenciada te "enfermará de algo" y puede que tu enfermedad sea mucho más dolorosa para ellos, ergo, si querías evitarles el dolor de marcharte, al final se lo vas a producir cuando te mueras. E incluso en el supuesto de que decidas quedarte y las cosas "vayan bien", te aseguro que de alguna manera otros percibirán EL DOLOR POR TU AUSENCIA, en forma, probablemente, de carencias emocionales que te reclamarán.

Si tú amas a alguien de verdad, la ruptura puede ser un acto de profundo amor como fue el primer beso que le diste a la persona de la que te separas. No existe tal cosa como la culpabilidad por dejar a alguien. Poca gente ve la ruptura de esta forma y necesitan de la perspectiva del transcurrir del tiempo o del sufrimiento para abrazar su decisión de haber roto o para abrazar el hecho de que su pareja les dejara. Sin embargo, no es necesario pagar con lo más valioso que tenemos, nuestra vida, invirtiendo nuestro tiempo, recursos y atención en lamentarnos por una experiencia que no solo es una pérdida. Marcharte es la mejor opción si eso es lo que decides. Es un acto valiente. Quedarte por no querer herir es una linda excusa que esconde cobardía.

Lo más común que me he encontrado es que quien se marcha lo hace por la insatisfacción de sus propias expectativas rotas del dolor primordial que no ha sido procesado. El que se marcha a quien menos se espera encontrar es a una persona como la que deja, pero de lo que huye lo alcanzará, a donde vaya lo volverá a atraer o se convertirá en aquello que más condena de la persona que deja porque no se da cuenta que, inconscientemente, lo que no le gusta es una parte de sí mismo/a de la que está tratando de huir. Esa será la siguiente expectativa que romperá. Este es el destino inevitable de las personas que dejan una relación resentidas con su pareja, porque es una estrategia de la vida para ayudarle a desmoronar las ilusiones o razones que le impiden pasar al siguiente nivel de su crecimiento.

La persona que "se queda"

El miedo a que te deje tu pareja o el vacío que te genera su ausencia es realmente una puerta para que puedan salir miedos e inseguridades personales que a lo mejor no te atreves a mirar de frente o, quizás, no te has dado cuenta que arrastras contigo. Puede que no esperases que la ruptura te pasase a ti o que sientas que no es el mejor momento para que te dejen. El mejor momento es cuando ocurre, ni antes ni después, y si te está ocurriendo, tienes delante de ti el gran trampolín para superarte a ti mismo/a. Existen relaciones adictivas que hacen más difícil la separación. La adicción proviene de una necesidad interior que no podrás paliar con el apego a alguien o hacia algo. Las relaciones pueden ser bastones o trampolines temporales, pero quien tiene que saltar o aprender a caminar por sí mismo/a eres tú. El apego puede llegar a ser muy intenso con lo cual la experiencia de que seas dejado/a por tu pareja te va a conectar con las inseguridades que o, te están ya dificultando o te van a dificultar aún más si no te liberas de ellas. En estas situaciones límites he visto que las personas suelen hacerse planteamientos que no habían pensado, les surge la necesidad de tomar nuevas decisiones o de evaluar su vida con otros ojos para tomar un nuevo rumbo.

Muchas veces postergamos nuestros verdaderos sueños o renunciamos a ellos por una relación duradera o porque nos acomodamos en la seguridad emocional o porque nos sentimos abrumados por las circunstancias "inesperadas" que nos rodearon. Muchas veces me he encontrado con gente que me dice que no sabe lo que quiere. En el fondo sí lo saben, pero están tan atemorizadas o se sienten tan pequeñas, que no pueden imaginarlo o nombrarlo porque sienten que no pueden o que no se lo merecen. Otras veces he visto que la gente dice que sabe lo que quiere pero no se atreven a hacerlo o ni tan siquiera pueden hablar sobre el tema; están inmovilizadas por alguno de los miedos principales: equivocarse, no ser capaz, separarse de los seres queridos, ser rechazado...Y también, he visto personas que ya han archivado sus sueños como imposibles y se muestran resignadas a que nunca lo conseguirán. En todos estos casos he visto que las rupturas han sido el caldo de cultivo que esas personas necesitaban para pasar al siguiente nivel al que no se habían atrevido por sí mismas. Cuando estas personas llegaron a considerar que el hecho de que su pareja les dejara fue "el mejor regalo" que les pudo hacer la persona que les amaba, sienten gratitud por la ruptura y convierten el vacío de la ausencia de su pareja en pequeñas oportunidades que le guiarán hacia sus metas y sueños para conseguir lo que desean de todo corazón.

Aquello a lo que no estés queriendo enfrentarte empuja por salir y cuanto más te estés resistiendo más grande el dolor por la pérdida y más antiguo e inconsciente es el miedo que aflorará. La sensación del miedo es una alarma de PELIGRO que se activa porque en tu memoria sensorial hay registrada una dolorosa vivencia del pasado. El registro de esa memoria de dolor fue necesario para protegerte y evadir la misma experiencia o para hacerte más fuerte en caso de volver a vivirla, pero esa misma memoria de dolor que sigue protegiéndote acaba convirtiéndose en un condicionamiento para crear tu vida con plenitud; te limita para hacer ciertas cosas, para relacionarte con tu pareja o para relacionarte con otras personas, con lo que en el momento que ese miedo esté rozando los límites de condicionamiento en tu vida, necesita ser liberado por una experiencia que lo hará aflorar. La persona que te deja te está ofreciendo la creación del escenario donde darás a luz ese miedo que también te traerá mayor fortaleza interior, más confianza en ti y te acercará a lo que más deseas lograr.

Los hijos e hijas de padres separados

Otras de las fantasías que se destruyen en una separación es que un hijo/a impedirá que la relación se rompa porque *"traerá lo que nos falta"* o porque hará que *"la relación tome un rumbo mejor".* A menudo he visto que no es así como funciona en la realidad. Estoy completamente seguro que nacer en este mundo no es fortuito, ni error o casualidad, con lo cual considero poco probable que un niño/a nazca "sin querer" o que sea víctima de las circunstancias familiares en las que nace. Como dice Eric Rolf, los hijos, desde el punto de vista espiritual, vienen a sanar a los padres. Los hijos/as son como espejos del inconsciente de los padres para hacerles recordar cómo fueron las cosas que les dolieron y ayudarles a reconciliarse con sus propios padres.

Desde la perspectiva del alma, nacer humano es una oportunidad de la Inteligencia Divina y una libre elección del SER ESENCIAL que somos de verdad. Elegimos y venimos a experimentar la creación consciente desde el alma; desde esa perspectiva una ruptura es la oportunidad para aprender algo que vale el precio del dolor de la separación de los padres. Para un hijo/a contemplar la ruptura de sus padres puede ser uno de los momentos más dolorosos; indudablemente es un escenario de mucha inseguridad, miedo y desafío porque afloran los miedos, inseguridades y apegos de los adultos implicados; todas estas emociones aunque los adultos traten de silenciarlas, se transmiten por el aire o van a parar en el plato de comida que les preparamos a los hijos/as.

La sensibilidad emocional en los más pequeños es más alta porque la vulnerabilidad está a flor de piel, por lo que, energéticamente, una ruptura en la infancia será una situación que se experimente con mucha sensación de peligro. Desde la razón del adulto es muy difícil comprender lo que realmente ese niño o niña está sintiendo y pensamos que "no se enteran de mucho", pero, si a los adultos les es difícil sostener la sensación de inseguridad que se vive en una separación, imagínate cómo se puede amplificar la emoción en un niño/a que no tiene aún el entendimiento racional. Sin embargo, bajo las reglas del juego de LA VIDA ES PERFECTA, en la ruptura también hay contribución y beneficios para los más pequeños. Estoy seguro que si se enseñase a los hijos/as a amar la ruptura de sus padres como un regalo a sus vidas, la percepción de esos niños tendría menos carencias y más confianza y fortaleza interior. Pero es poco probable que esto pueda ocurrir a menos que los padres de esos niños/as alcancen antes esa igual sensación de agradecimiento por la separación.

El dolor por la ruptura

A menudo he visto que se produce una dinámica en las rupturas de pareja que me deja muy sorprendido. Es como si esas dos almas que se encontraron un día o como si esos dos seres esenciales que decidieron unirse, tuviesen un pacto secreto "entre bambalinas" para ayudar a que su pareja alcance el máximo crecimiento. Para que este "juego" tenga lugar, los dos juegan roles específicos inconscientes, algunos de los cuales son muy dolorosos para el otro pero porque el rol elegido trae un reto concreto que su pareja necesita confrontar. Este juego percibido desde la perspectiva de la ley del espejo, coloca a tu pareja en el rol de tu inconsciente materializado para enseñarte la parte de tu humanidad que desconoces e ignoras o para mostrarte aquello que no imaginabas que eras capaz. Las cosas que las personas llegan a decirse o a hacerse mutuamente desde esos roles al ser evaluadas desde fuera por un observador pudieran parecer crueles, indignantes o fuera de lugar, pero dentro de la relación existe un *"para qué está ocurriendo"* que mantiene el orden y el equilibrio en la pareja. Quedarse o dejar una relación, y el dolor que produce la ruptura forman parte de ese orden inconsciente.

En ninguna relación he visto que alguien se plantee marcharse si está 100% satisfecho. Pero la plenitud en la relación de pareja solo es posible encontrarla, si honras con amor el hecho de que también habrá un 50% de insatisfacción en tu relación. La insatisfacción es necesaria como la sombra para la luz. Para sentirte pleno en una relación no se trata de eliminar la insatisfacción ya que es una tarea que te condenará a la frustración y al fracaso, como si te empeñases en luchar para evitar la muerte, perderías sí o sí. La insatisfacción en tu relación permanecerá en formas diferentes a medida que vas conociendo a tu pareja. Algunas actitudes que te gustaban, dejarán de gustarte, y otras que no habías notado que las tenía las descubrirás como nuevas. Habrá experiencias que empezarán a convertirse en monótonas y aburridas y aparecerán otras que empezarán a gustarte, podrás compartir ciertas afinidades y habrá gustos que será imposible que los compartas con tu pareja. La sensación de insatisfacción perdurará en cualquier relación mientras dure y solo desparecerá momentáneamente las veces que sientes el Amor de tu corazón. Solo a través del amor puedes tener acceso a la plenitud, tanto dentro como fuera de una relación de pareja. Y la plenitud incluye todo, satisfacción e insatisfacción, y tu amor abrazará a la sombra de tu pareja.

Quien se marcha, habitualmente no es consciente de que su insatisfacción no tiene relación con lo que recibe o no de su pareja, si no con lo que aún no ha satisfecho consigo mismo/a. Obviamente si alguien se marcha es porque percibe alguna forma de carencia/ausencia de su pareja, como puede ser falta de apoyo, atención, reconocimiento, etc; pero, paradójicamente, no es que no esté recibiéndolos de su pareja, sino que, sencillamente, su pareja se lo está dando de una forma que no lo puede interpretar porque está apegado/a a recibirlo de una forma específica, a través de unos actos o palabras concretas de apoyo, atención o reconocimiento. Detrás de su insatisfacción suele haber un dolor por una EXPERIENCIA DE PÉRDIDA o AUSENCIA de alguna persona importante de su pasado, habitualmente del padre, de la madre o de "algo/alguien que le faltó" en su vida. Esa experiencia del pasado ha producido una memoria de dolor que se manifiesta como HERIDA EMOCIONAL, mientras que la persona no sienta agradecimiento en el corazón por lo que ocurrió, de la forma que ocurrió, sin pretender o querer cambiar un ápice lo que pasó o no pasó. Estas heridas emocionales serán la semilla de las enfermedades que se manifestarán en el cuerpo físico de la persona.

A menudo me encuentro con personas que dicen que lo que les pasó ya lo tienen superado, o que ya no les duele. Son exactamente las expresiones más comunes que indican que no es así. Cuando sientes gratitud por algo, no tienes necesidad de superar nada, porque reconoces que lo que pasó de la forma que pasó fue perfecto como fue; cuando alcanzas esa sensación interior no cambiarías nada del pasado aún si tuvieras el poder de hacerlo. Esta sensación de gratitud es la que se conoce como el "estado de gracia" o "estado de iluminación" del que hablan las religiones. Ese estado interior es una sensación que no tiene ninguna comparación con ninguno de los placeres que pudieras haber experimentado con tu cuerpo; es una experiencia muy transformadora que marca una diferencia muy significativa en la evolución de tu alma y en tu forma de vivir.

El gran impedimento para agradecer es la inteligencia racional, porque a la razón le parecerá irracional dar las gracias por una experiencia dolorosa. El agradecimiento por cortesía es un principio aprendido de buena educación pero el agradecimiento del corazón por una experiencia dolorosa no suele ser el mismo. Algunas personas dicen, "No, no, si yo doy las gracias por lo que ocurrió…" pero realmente aún les gustaría que aquello no hubiese pasado: lo aceptan, reconocen que lo vivido no solo fue negativo; ven que fue necesario; ven que no se podía o no se pudo evitar; pero si pudieran, cambiarían un poquito lo que pasó. Este deseo, por pequeño que sea lo que les gustaría modificar, alimenta la necesidad de QUERER TENER RAZÓN. La razón es ciega a la verdad del corazón porque es un protector de las memorias de dolor que trabaja hermanada con el instinto de supervivencia; recuerda que el fin primordial de ambos es la conservación del cuerpo físico y la protección de la persona, ambos siguen la premisa *"huye del dolor y busca su contrario, una forma de placer"*.

Cuando las personas construyen su verdad con "razones bien argumentadas" el resultado final que construyen es UNA PRISIÓN PARA SU SER INTERIOR; lo gracioso o paradójico, si prefieres nombrarlo así, es que nadie construye una cárcel conscientemente para sí mismo. Sin embargo, incluso en la inconsciencia más grande de uno mismo, está presente la INTELIGENCIA DEL CORAZÓN porque es la reguladora del "pacto secreto entre bambalinas" cuya única consigna es ayudarte a salir de la prisión

construida y acercarte lo máximo posible a la GRATITUD o IN-
TELIGENCIA DIVINA del AMOR. Para alcanzar esa experiencia
de agradecimiento es necesario trascender la memoria de dolor
condicionante y cuando se libera se pasa por una catarsis momen-
tánea en donde el llanto, el grito o la carcajada son señales de liberación de la pena, la rabia o el enfado; aparecen muy a menudo
lágrimas de gratitud y la persona se siente inundada de una sensación de profunda comprensión por su pareja y por todo lo que
ha vivido con ella. Veo muy a menudo en mis programas de
coaching cómo la gente llega a agradecer situaciones que parecían
imposibles de agradecer liberándose de su dolor con Amor. Pasada la catarsis, la persona verbaliza la experiencia del pasado con
expresiones de serena gratitud, la memoria de dolor se convierte
en una memoria de amor y lo que antes era una herida emocional
se transforma en una fortaleza interior que puede utilizar conscientemente para sentirse sano, fuerte y libre para vivir la vida que
siempre ha soñado.

7. SUPERAR LA RUPTURA

No hay noche que cien años dure ni día que no llegue

La oportunidad y beneficios de la ruptura

De una cosa puedes estar seguro/a: tu pareja no te dará siempre lo que quieras, pero te dará, en el cien por cien de los casos lo que necesitas para crecer. Incluso aunque este fenómeno se haga de forma inconsciente no menosprecia el valor de la oportunidad de la ruptura para los dos.

¿Qué hechas en falta de la persona que ya no está contigo...?

Si hoy fuese tu último día...

¿Te irías satisfecho con lo que has vivido?

¿Viviste todo lo que querías...?

Tener en cuenta que puedes morirte en cualquier momento promueve un sentido de urgencia que te hace valorar el momento presente como lo más importante.

¿Qué es lo que más lamentarías dejar...?

¿Qué te quedaría sin hacer...?

¿Te gustaría decirle a tu pareja algo que aún no le has dicho...?

La toma de consciencia de que cualquier día de tu vida puede ser el último, despierta el deseo de vivir plenamente este día…

¿Cómo usarías tus 24 últimas horas…?

Si al responderlas desapareciese alguno de los obstáculos que percibes que te lo están impidiendo, significa que tu consciencia se ha expandido y que tú has alcanzado una visión más panorámica del obstáculo. Realmente no es que haya desaparecido, es que tú, al expandir tu visión creces y al mirar desde más alto ves al obstáculo más pequeño. Las cosas no son grandes ni pequeñas, solo dependen de dónde estás tú. En general, valoramos poco lo que tenemos hasta que lo perdemos. Por eso, muchas personas, necesitan verse al borde de una muerte verdadera, de una ruptura o de una pérdida importante, para despertar a una nueva consciencia de valoración y eso les trae que su vida se transforme de forma brutal.

Lo verdaderamente importante sale a la luz en los momentos límites. Los miedos más profundos y ocultos suelen aparecer en situaciones extremas y con ellos también viene la oportunidad de experimentar que en el fondo NO HAY NADA QUE TEMER. Esto es lo que para mí sería "superar tus miedos". Para alcanzar la percepción de "nada que temer" necesitas sentir muchas veces el miedo, si no lo sientes no puedes experimentarlo y la fuerza para sentir el miedo se queda solo en el campo intelectual de los conceptos o de la razón. El único propósito que tiene, desde mi punto de vista, experimentar un miedo es para darte cuenta que aquello que temías realmente no era para tanto. Después de afrontar cualquier miedo tu fuerza crece, aumenta tu confianza y se instala una percepción de haber crecido y haber expandido tu visión de ti mismo. Desde ese estado interior accedes a nuevos niveles de la plenitud de la vida, mayor salud, mayor bienestar emocional y mayor abundancia de recursos.

En los momentos cercanos a la muerte, tu percepción se transforma de forma radical. En ese espacio tienen lugar los milagros y el mal que parecía inevitable se convierte en la gran oportunidad que tanto habías soñado. La ruptura en las relaciones humanas y en especial en tus relaciones de pareja, está asociada ineludiblemente a la muerte. La experiencia de la muerte en sí misma es un gran misterio, pues aún cuando hay escritos muy antiguos y tradiciones que la veneran, describen y respetan como una experiencia muy sagrada, nadie puede desvelarte a ti cómo será la tuya, ya que en cierta medida está por ser descrita, y tú eres quien la está escribiendo con la forma de vivir que tienes. Hasta que no tomes consciencia de que tú puedes elegir la forma de morir, no despiertas conscientemente al valor del tiempo que te queda en la vida para llegar a ese destino sin retorno. Y, posiblemente, lo que menos consideran las personas es ¿cuánto tiempo les queda en su CUENTA CORRIENTE VIDA? Pero incluso si te quedas al margen de cualquier tradición sacra y eliges mirar a la muerte como algo banal, creo que estarás conmigo en que, ya que es imposible evitar la muerte, si pudieras elegir entre una forma de muerte "x" o una forma de muerte "y", elegirías la que más te gustase, ¿cierto?

Hacerte el planteamiento de cómo te quieres morir destapa una caja de sorpresas interiores que necesitará ser procesado con tiempo y cuidado pero es un buen hábito aprender a tener a la muerte presente porque te ayuda a decidir y elegir con más honestidad hacia lo que para ti es realmente importante, con tus verdaderos valores esenciales: aquello que para ti es innegociable. El miedo nos detiene y no querer sentirlo nos bloquea. Detenidos y bloqueados es como vivimos muchos momentos en la vida. Detenidos para hacer lo que más nos gusta o bloqueados por el miedo a equivocarnos, a no ser capaces, al rechazo, a no tener dinero suficiente, a no ser suficientemente bueno, a no valer. Desde cualquiera de esos estados el abanico de decisiones y elecciones se tiñe de resignación, no merecimiento, autocrítica, empequeñecimiento, sacrificio, sobre esfuerzo, que son el alimento perfecto para que el miedo o la culpabilidad merodeen de forma permanente en tu día a día. Cuando tomas decisiones importantes desde alguno de los miedos mencionados arriba, el destino que te encontrarás no será muy diferente a la insatisfacción, el desgano y la pérdida de entusiasmo que es como estar viviendo sin ganas, por inercia, sin sentido. Es como ESTAR MUERTO EN VIDA.

Cuanto mayor sea el dolor por la ruptura que estés viviendo o el que te produce imaginar la posibilidad de que tu relación se acabe, más grande es la oportunidad y los beneficios que puedes obtener si afrontas ese miedo. Afrontar ese miedo no significa necesariamente que tengas que romper tu relación como tampoco es seguro que lo vayas a afrontar si tu relación se ha roto ya. Afrontar tus miedos solo tiene que ver con atreverte a vivir conscientemente la vida que desees. Si no te has planteado la vida que deseas desde TODAS LAS POSIBLIDADES y por casualidad estuvieses experimentando una ruptura mientras lees estas líneas, que sepas que tienes ante ti la mejor oportunidad para hacerlo y no dejarlo pasar. Una ruptura en cualquiera de sus maneras trae muchísimos regalos, y el miedo a romper tu relación desaparece cuando reconoces por anticipado de corazón los beneficios que te traerá si ocurriese; y el dolor por la ruptura se disuelve cuando descubres el valor verdadero de lo que te está ya aportando y de lo que te va a seguir trayendo.

El impacto de una ruptura se mide por el cambio que trae a la vida de alguien y al ser situaciones en las que se desafían las estructuras vitales de la persona, la fuerzan a cambiar de perspectiva y verse a sí mismo/a y a su entorno de una forma completamente nueva y diferente. El dolor por la ruptura puede servir para elevarte a la perspectiva de tu alma y para que aprendas a verte desde esas alturas y despliegues el potencial creativo de tu alma. Y tú...

¿Sabes cuándo te vas a morir?

¿Qué harías si hoy fuese tu último día?

Tus sueños. ¿De dónde vienes?

El dolor por la ruptura es, posiblemente, uno de los tres dolores primordiales que puede tener el ser humano junto al dolor de no ser amado/a y al dolor por la pérdida de un ser querido. En la forma son dolores diferentes, pero en el fondo son manifestaciones del miedo natural a la muerte que, en última instancia, es la experiencia de la que huimos a toda costa con la ayuda de nuestro instinto; sin embargo, el momento en el que morirás llegará sin ninguna duda tarde o temprano, y nada ni nadie podrán evitarlo.

El día de nacimiento es la fecha más importante en la vida de una persona, y muestra de ello es que nuestra cultura, entre tantas miles, también nos enseña a celebrarlo cada año. El origen occidental lo heredaron los griegos de mucho atrás, pero ellos, además, consideraban que cada persona nacida tenía un espíritu, o daemon, que la protegería y cuidaría durante su vida. La importancia de la celebración anual del cumpleaños es rememorar la LLEGADA O VENIDA de UN SER a la VIDA, es decir,

¡De tí!

Tú llegas a la tierra a través del acto de nacer, que trae implícitamente la predestinación a experimentar la muerte física a través del actor de morir. Estas dos experiencias, opuestas, complementarias e inseparables, están unidas para ofrecer el ESCENARIO DE TODAS LAS POSIBILIDADES, donde se desarrollará LA VIDA DE ESE SER QUE LLEGA A LA TIERRA.

*¡¿De dónde vienes?! Sería el mejor saludo de bienvenida
a un recién llegado*

¿De dónde venimos?, es la segunda pregunta fundamental que la filosofía ha querido responder desde la antigüedad y es la misma que la ciencia y la religión pelean por responder con UNA ÚNICA VERDAD. Esta pregunta, en cualquier caso, es el anuncio de tu llegada al ESCENARIO TIERRA en el que vas a vivir y en donde aquello que te acontezca, o aquello que hagas que te acontezca, se entretejerá con la misma estructura: PRINCIPIO- NUDO- FINAL. Una experiencia, por dolorosa o placentera que sea, pasará, y vendrá otra, y otra, y otra…No hay noche que cien años dure ni día que no llegue. Cada acontecimiento vivido transcurre de esa forma y se encadena con el siguiente de la misma manera. Esta estructura vivida muchas veces en tu vida, es una forma de vivir pequeñas "muertes" que te están entrenando para prepararte para tu muerte. El dolor de la ruptura es una de esas pruebas con la que la vida te entrena para fortalecerte y renacer a una nueva vida dentro de tu trayectoria vital.

¿Qué te gustaría experimentar o vivir?

Recuperar el entusiasmo por vivir la vida es el antídoto del sufrimiento y del dolor por la ruptura. Cuando escucho que alguien me dice en alguna sesión *"Ya no tengo ningún motivo para soñar porque el sueño era estar con mi pareja y ya no podrá ser"* lo que principalmente está transmitiendo es que su dolor es tan grande que siente que todo está perdido y casi que le daría igual si se muere. Si estás en esta situación, busca ayuda profesional experta, porque tu desilusión es muy grande y si no frenas la cadena de pensamientos y sensaciones de pesar puedes caer en una depresión profunda. Salvo que esa sea la experiencia que elijas vivir, sería muy valioso que alguien te ayude a reencuadrar tu ruptura. Es cierto que todo ha cambiado en tu vida, pero la evolución natural no admite pérdida sin ganancia, perjuicio sin beneficio. El deseo de morir es también ilusorio y esconde un resentimiento por la vida como es, tal y como es, de la forma como es. Si supieses que muriéndote, tu malestar se multiplicaría por cien el que tienes ahora ¿elegirías esa opción? Lo más probable es que no. El amor al estilo Romeo y Julieta para mí no es AMOR, si no enamoramiento in extremis, es decir ceguera. **El verdadero amor no es ciego, el enamoramiento sí.**

Si no puedes soñar significa que no puedes verte a ti mismo/a disfrutar. ¿Recuerdas la última vez que disfrutaste de algo hasta el punto en el que el tiempo pasó y no te diste cuenta? ¿A qué renunciaste en el pasado que te gustaría retomar? ¿Qué es lo que no te estás atreviendo a hacer? ¿Qué harías si supieses que no fracasarías y si supieses que cuentas con todos los recursos a tu alcance para lograrlo? Aún si no terminas de aceptar o entender para qué estás viviendo lo que vives y tu dolor te impide responder estas preguntas, considera que en tu corazón hay muchas experiencias que les gustarían manifestarse. Es importante escuchar lo que dicen, porque esas vocecitas indican el camino que te acercará a la salida de tu laberinto. Escribe lo que sientes respondiendo a las preguntas de arriba. Expláyate respondiéndolas más de una vez. Entrégate a lo que tu corazón te dice, no escuches solo al dolor de la pérdida. Mira tu vida con perspectiva, proyecta nuevas posibilidades que puedes experimentar en tu realidad, considera que tienes delante de ti todas las posibilidades incluida la de volver a estar con alguien que se comporte como tú esperas y te trate como tú deseas. Aprovecha para hacer lo que no te habías atrevido antes o incluso a vivir esas experiencias que no podrías vivir si hubieses seguido con tu pareja. Todas las personas renuncian a experiencias para no disgustar a su pareja o para no "hacerle daño a su pareja", pero lo cierto es que a quien primero hacen daño es a sí mismos/as al negarse vivir eso que desean. Es una gran oportunidad para ti de conocerte mejor porque tienes delante nuevas elecciones que puedes escoger. Te invito a que recopiles en un cuaderno especial todo eso que volvería a encender la chispa por explorar la vida y las posibilidades que tiene. El día en que te mueras llegará de cualquier manera y cuando llegue ya explorarás la muerte, pero mientras llega, respira y revaloriza que tu cuerpo aún sostiene la oportunidad de hacer realidad lo que deseas. ESTÁS VIVO/A. Vuelve a conectar con lo que te trajo a la vida. No hay oscuridad que no esté producida por una luz, aún si no la ves; reconoce su presencia de alguna forma y no caigas en lo más mundano de la ignorancia de las multitudes que esgrimen "ver para creer", porque en esencia, la vida funciona más con "creer para ver".

Tu Propósito de vida ¿Para qué estás aquí?

Richard Buckminster Fuller, un inventor estadounidense, perdió a su hija menor cuando tenía 32 años y su dolor fue tan profundo que estuvo al borde del suicidio. En el último momento, una pregunta cambió su parecer *¿Puede un individuo contribuir a cambiar el mundo y beneficiar a toda la humanidad?* Y decidió que en vez de morir, sería mejor entregarse a una causa que le entusiasmase para ver si eso era posible. Vivió 55 años más. Su obra es mundialmente reconocida, desarrolló proyectos tan revolucionarios que le llevó a ganar innumerables reconocimientos y doctorados honoríficos. Y algunos de los proyectos que se quedaron sin ejecutar, beneficiarán a millones de personas en la tierra cuando se hagan realidad. La muerte de su hija le tocó su dolor primordial más profundo y le hizo regresar a la vida para ofrecer su contribución a la humanidad. Posiblemente si su hija hubiese seguido viva muchas de las cosas que hizo no las habría hecho; desde la perspectiva del alma su hija contribuyó a que él encontrase su dirección.

Hace algunos años, en un curso de photoshop, tuve una perspectiva nueva del significado de lo que es un propósito de vida. Cuando el profesor nos hizo agrandar la imagen de un paisaje para que viésemos las unidades de las que estaba construida esa imagen en la pantalla, nos descubrió que a la máxima ampliación el paisaje estaba formado por millones de píxeles. A la escala del tamaño del píxel solo veíamos cuadraditos minúsculos, uno al lado del otro y cada píxel tenía sus específicas propiedades de color, saturación y brillo. Distribuidos de la forma en la que estaban colocados creaban la imagen del magnífico paisaje que en otra escala diferente podíamos ver. Lo que veíamos, era una cuestión de perspectiva: al tamaño del pixel solo veíamos los cuadraditos y no distinguíamos el paisaje, al tamaño de la imagen el cuadradito era imperceptible y solo veías el paisaje. ¡Somos un pixel!, pensé. Y se me humedecieron los ojos porque fue como descubrir lo importante que era cada uno de esos cuadraditos pequeños para dar forma, color y aspecto al bello paisaje que a todos nos gustaba. Sin la singularidad y la belleza de cada uno de los píxeles, la imagen completa no podría existir. Esta imagen me evocó la metáfora de que si la vida en la tierra estuviese representada por la imagen del paisaje, cada habitante es un pixel dentro de la vida en la tierra.

Tú tienes un propósito para esta vida. Si aún no lo has descubierto, el dolor de la ruptura te puede ayudar a descubrirlo. Y si ya conoces tu propósito entonces la ruptura te llevará a un nuevo nivel de experimentación de tu propósito vital. Tu propósito de vida es la contribución que has venido a ofrecer a la humanidad, es tu individualidad aquí, ofrecida como un servicio o una utilidad al resto de las personas.

¿Qué es lo que más te gusta hacer?

¿A qué dedicarías tu vida si tuvieses a tu alcance la posibilidad de hacerlo?

¿Qué es lo que más te inspira hasta el punto de que se te humedecen los ojos cuando lo haces, lo ves, lo oyes o lo sientes?

Escucho con frecuencia que la gente duda de sus elecciones, pero dentro de la duda están los miedos que les siguen condicionando. Para responder a estas preguntas con el corazón necesitan ubicarse perceptualmente en una nueva visión de sí mismos, en el punto de vista de todas las posibilidades porque esa perspectiva es la que crea la visión panorámica del paisaje. El corazón es la puerta de expresión del alma y del ser interior que habita en ti y que te acompaña. Eres el alumno de tu alma que aprende a hacer sueños realidad y en el proceso de tu aprendizaje eres el maestro de tu alma para que evolucione a nuevos niveles de AMOR INCONDICIONAL.

¿Cuál es el significado que te gustaría darle a tu vida? Elige el que desees y escucha a tu alma a través de tu corazón. Es imposible que si preguntas con la intención de recibir tu alma te niegue su luz a través de respuestas, señales o indicaciones claras. La inteligencia que organiza la vida corre por tus venas. La soledad o el abandono es una actitud interna de negación del orden invisible del universo y se tornan en sufrimiento cuando insistes en no querer ver la perfección del paisaje completo o cuando quieres ser más importante que el resto de los pixeles negando el paisaje. Esto también se llama miedo. No se trata de quien es más importante o menos importante porque no existe tal valoración desde el AMOR. ¿De qué dedo de tus manos prescindirías porque no lo usas a menudo? ¿Qué parte de tu cuerpo te quitarías porque es menos importante para tí? Cada célula de tu cuerpo, cada órgano, cada sistema que se configura para funcionar tiene un propósito único e intransferible, y tú también tienes un propósito único que conoces. Puedes negarlo o pasarlo de forma inadvertida, pero tu alma desde su amor hacía ti, te guiará por el camino para que no temas el hecho de descubrirlo y vivirlo plenamente. *Es a nuestra luz, no a nuestra oscuridad a lo que más tememos*, dijo Nelson

Mandela. Tomando consciencia de para qué estás aquí, las experiencias de dolor que vivas en tu vida cobran otro significado, porque ninguna de ellas te alejará de tu propósito si no que te acercará más y más a nuevas formas de expresión de tu unicidad a través de la creatividad de tu alma. El dolor por la sensación de pérdida te brinda experimentar en profundidad el valor de tu propia vida como persona. Cuando se produce una ausencia de alguien importante, tu vulnerabilidad sale a la superficie, maduras, creces, te fortaleces, creas nuevos vínculos con otras personas, reales, virtuales o espirituales y se te abren nuevas posibilidades en la vida. La experiencia humana necesita del dolor y la sensación de pérdida para crecer y evolucionar. Vivir tu propósito de vida con plenitud también.

EPÍLOGO

TRIUNFA EN EL AMOR

SALIENDO DEL LABERINTO

¿Sabrías salir de este laberinto?

¿Te gustaría salir?

¿Coges un lápiz y pruebas?

8. RECAPITULACIÓN DE LO DICHO

Todos los finales son divinos porque tienen un lado triste
y otro alegre.

Triunfa en el AMOR

Que veas y sientas tu naturaleza divina determina cómo vas a ver
LA MUERTE...

Y eso determina cómo vas a ver

La conservación del padre y la madre: La separación,

La incertidumbre,

La pérdida,

EL CAMBIO y

Lo nuevo,

E l   D E S E N L A C E es EL MISTERIO...

Y mientras llegue el final,

para vivir plenamente necesitas:

Confianza en la vida

Conexión con el amor de tu corazón

Y la creatividad de tus sueños

El miedo y la culpa son mensajeros divinos a tu servicio para despertar a tu verdadera naturaleza. Ambos te traen a tu presente el mismo mensaje del pasado y del futuro: MIRA AL AMOR POR LO QUE ES, NO POR LO QUE TÚ QUIERES QUE SEA.

Nadie empieza una relación o algo pensando en que se va a terminar, sin embargo es el fin de todas ellas y de todo porque el fin es la transformación, e igual que ocurre con lo esencial, que es invisible a los ojos, ocurre con lo valioso, que se echa en falta cuando no lo tenemos. Y así está programada tu consciencia para que **triunfes en el Amor.** Si para que algo tenga que ser importante tenemos que percibir que nos falta, alguien o algo tuvo que diseñar alguna vez que la falta de amor sea el mayor dolor, para que, aún si te pierdes en los más profundos laberintos del universo, no te olvides de despertar a LA MAYOR RIQUEZA ESCONDIDA dentro de ti. **El triunfo del Amor es ver que LO QUE BUSCAS FUERA, LO TIENES DENTRO,** y solo cuando lo encuentres dentro lo podrás compartir con los de fuera y llevarás contigo TU AMOR a donde vayas. Mientras busques el Amor de una forma específica te adentras en el laberinto y cuando empiezas a sentir el Amor de la forma en que lo tienes ya, te acercas a la salida.

Amarte a ti mismo

Hay que vivir la ruptura sin miedo y mirarla con los OJOS DEL AMOR. Si integras tus miedos primarios sentirás, integrarás tus culpabilidades primarias y podrás sentir que *no falta, ni sobra algo, que el momento perfecto es ahora.* La persona que más te rechaza eres tú mismo/a porque eres la persona que pasa más tiempo contigo mismo/a. TRIUNFAR EN EL AMOR ES ABRAZARTE por quien eres hoy.

Construye tu relación por elección del corazón porque para

TRIUNFAR EN EL AMOR…

Amarte a ti mismo es lo primero.

Tanto como seas capaz de hacerlo,

así serás capaz de amar

al hombre o la mujer

que estén a tu lado.

Pasos para Triunfar en el Amor

Obstáculo 1:

Tus padres te pasan sus carencias propias y tú generas las tuyas propias. Que sea de esta forma es inevitable. Simplemente es parte del juego "La vida es perfecta".

La solución: SANA TUS PERCEPCIONES CON TUS PADRES

Obstáculo 2:

Negar tu divinidad. Cada vez que dices "Yo no soy así" fomentas tus carencias, porque en tu divinidad se incluye TODO, mientras que al pensar y sentir "Yo no soy así" ensalzas una perfección que niega automáticamente una parte valiosa de ti: TU SOMBRA. Sin tu sombra, no puedes reconocer la luz de tu Amor.

La solución: CAMBIA TU PUNTO DE VISTA. En vez de afirmar "Yo no soy así", pregúntate,

¿De qué forma yo también me comporto así? y

¿Quién me percibe así, aunque no me lo haya dicho?

ÓSCAR DURÁN YATES

Obstáculo 3:

Querer tener la razón de que te faltó un padre o una madre, o comprensión, compañía, apoyo o cualquier aspecto positivo de la vida, es solo una ilusión.

Una metáfora de cómo nos influyen las ilusiones es el conocido efecto del espejismo. El espejismo es la ilusión óptica debida a la reflexión de la luz que produce, en las llanuras de los desiertos, la sensación del reflejo del agua. Cuanto más sediento y más al borde del desfallecimiento se encuentra el observador que mira el efecto, más se intensifica en su mente la ilusión y el anhelo de llegar hasta allí. Sin embargo, a medida que se acerca, la ilusión desaparece, y unos pocos pasos adelante vuelven a proyectarse en el horizonte un reflejo similar que mantiene su activa marcha en la dirección elegida. Pero, dado que es un reflejo, cada vez que se encamina hacia él, volverá a desaparecer en escasos minutos y, tarde o temprano, esta broma ilusoria de la luz, despertará la frustración en la persona.

Las ilusiones que proyectamos en nuestras vidas y especialmente en nuestra pareja, se parecen mucho a este espejismo del desierto.

La idea de ilusión contiene una paradoja porque bajo el prisma del espejismo, una ilusión es una mentira y una mentira está mal vista y tiene mala fama porque es sinónimo de engaño. Pero cuando el engaño o la mentira no parecen tan graves, su nombre cambia por el de BROMA. Dentro de la paradoja también está que las "ilusiones mentirosas" generan movimiento, dirección y, por lo tanto, nos hacen avanzar. Y del mismo modo que la consecuencia positiva del agua que no existe en el horizonte es mantener con vida al observador y no dejarle desfallecer hasta agotar todas sus fuerzas, energías o, al menos, toda su capacidad de creer en sí mismo para seguir caminando sin agua, en las relaciones de pareja, también el espejismo de la ilusión nos sirve para coger una dirección y AVANZAR EN NUESTRA VIDA.

La solución: da el primer paso por CONOCERTE A TI MISMO: DETECTA TUS HERIDAS PRINCIPALES, y a través de ellas descubrirás TUS VALORES PRIMORDIALES.

Es tu turno

Estamos educados culturalmente para que los finales sean felices. Yo digo que son divinos porque en todo final hay un principio, al igual que alegrías y tristezas por igual, pero no siempre lo vemos así porque elegimos poner más atención a la sombra de la felicidad que a la danza de las dos.

Estamos llegando al final de un recorrido que iniciamos con la introducción de este libro en el que te alentaba a buscar en tu interior la claridad que estás buscando en tu relación de pareja. Deseo sinceramente que hayas disfrutado su lectura tanto como yo he disfrutado ordenando estas ideas para ti y que te hayan servido para transformar la forma de mirarte a ti mismo/a, a tu pareja y a tus relaciones. Ojalá que también hayas encontrado al menos una pizca de las respuestas que estabas buscando y que esas respuestas te guíen para encontrar las que aún tienes sin resolver.

He querido resumirte en estas páginas lo más valioso que he encontrado tanto para alcanzar el siguiente nivel en tu relación como para ayudarte a abrazar tu pasado y a tu familia pero especialmente para que te abraces a ti mismo cada día. Lo que más entusiasmo me causa decirte es que estos principios compartidos le han valido a miles de personas para quitarse su dolor con Amor y estoy seguro que si tu quieres, también te pueden ayudar a ti, sin que importe en qué fase del Amor te encuentres, tanto si estás resentido/a, como si estás a punto de romper tu relación, o si tu relación ya ha terminado y eres quien ha sido abandonado/a, o si tú eres quien ha dejado a su pareja y te sientes culpable, o incluso si estás buscando una pareja o quieres ser encontrado/a por alguien para enamorarte.

El amor que habita en tu interior es ilimitado y tú eres la única persona que puede ponderar cuanto amor llevas acumulado. Desde la perspectiva que te he ofrecido **el Amor que puedes acumular es literalmente infinito,** con lo cual difícilmente llegará el día en el que digas: "Terminé" Del mismo modo que en un vaso caben todos los fotones de todas las estrellas del Universo, en tu corazón puede caber TODO EL AMOR del universo. Si verdaderamente quieres **TRIUNFAR EN EL AMOR,** recuerda **la importancia de encontrar primero el amor dentro de ti.** Ahora, si quieres, el siguiente paso te toca a ti, pues nadie puede hacer por ti tu camino excepto tú.

Quiero agradecerte por haber llegado hasta aquí pues representa un honor para mí que hayas elegido este libro. Si consideras que ha sido útil para tu proceso, te invito a que visites la web www.bonustriunfaenelamor.com y descargues el material complementario prometido que está a tu disposición para ayudarte.

Disfruta de tu proceso. Gracias.

AGRADECIMIENTOS

A las primeras personas que me gustaría agradecer es a mi padre Alejandro y a mi madre Carmen, pues gracias a su decisión me abrieron la puerta de un camino que sigo bendiciendo cada día con más amor. Gracias a mi hermana Sylvia por su eterna compañía, su amor y por su labor crucial como hermana mayor de abrir el camino de los que vinimos detrás. Gracias a mi hermana pequeña Trilce que fue la primera personita que a mis 11 años, durmiendo desde su cuna, me susurró por primera vez sobre el Amor Incondicional, a mi hermana Eva por su dulce firmeza con la que comparte su amor y las conversaciones embriagadoras que es capaz de ofrecerme. A Luis, mi segundo padre, cuyo talento ha sido una inspiración continua para vivir. A mi hija Ariadna y mi hijo Jorge Juan, porque su comprensión, su amor y su presencia me ayudan a construir mis sueños cada día. A su madre Begoña, por los años que compartimos y por su excepcional visión del Amor cuando nos separamos. A mi familia materna y paterna de Perú, que aunque un océano nos separa en lo cotidiano, sabemos lo que nos une de forma permanente. A mi familia materna de Chile con la que me unen lazos muy antiguos y profundos de la historia familiar. A mi familia paterna de Estados Unidos y de otros lugares por los que como buenos aventureros nos hemos esparcido. Y a Emma, mi pareja, cuya magia confabula a favor de los sueños y ha hecho posible que los dos nos estrenemos en la misma colección editorial.

Un agradecimiento a todos los coaches, entrenadores y profesores que he tenido y que me han ayudado a llegar a nuevos niveles en distintos momentos de mi camino. Raquel Cava, mi primera entrenadora que a mis quince me incentivó a buscar la verdad en el corazón mirando más allá de las apariencias, Pedro Jarque, mi primer coach, quien a mis veinti y pocos me enseñó a dialogar con mí ser interior, John F. Demartini, mi entrenador del orden y del equilibrio subyacente detrás de aparente caos. Es un maestro excepcional de las leyes de la consciencia y quien me inició a la física cuántica aplicada a la psicología humana y al poder de la auto curación. Paco Alonso, mi profesor personal de física quien me hizo bucear a través de la percepción cuántica hasta marearme de vértigo. Miguel Angel Jiménez por brindarme su apoyo incondicional cada vez que lo he necesitado, Lise Jannelle, Louis Lambert y Karrie Ochoa, por su persistente apoyo a la expansión de mi percepción y excepcionales colegas de The Concourse of Wisdom.

A Raül Pere por sus continuas y generosas aportaciones para avanzar con la escritura de este libro y a todo el equipo editorial de Mestas Ediciones por el cuidado, el mimo y la dedicación con la que crean sus libros para cambiar la vida de las personas.

La lista de gratitud sería interminable pero no me gustaría cerrar sin agradecer a cada uno de mis clientes pues sus obstáculos se convierten en el continuo aprendizaje para ver el equilibrio en aquellos lugares más insospechados.

Y mis más sinceras gratitudes a todas y cada una de las personas con las que me he cruzado porque han contribuido a que me convierta en la persona que soy hoy, especialmente mis amigos/as, compañeros/as de colegio en Perú y en España, de la Universidad, de todas los entrenamientos y formaciones no regladas pero tan valiosas, y a mis colegas profesionales del Coaching y de la formación para una nueva consciencia, a mis conocidos y a mis colaboradores con los que hacemos equipo para pasar un mensaje de confianza acerca de las infinitas posibilidades de la naturaleza humana y del potencial ilimitado del ser humano para ir más allá de sus condicionantes.

BIBLIOGRAFÍA

Material práctico que puedes descargar de la web www.bonus-triunfaenelamor.com

- Las creencias más comunes que limitan a las personas.
- "Yo no soy así" - Descubre tu auto imagen positiva exagerada.
- Ley de la abundancia aplicada al desarrollo de una consciencia próspera.
- Descubre tus heridas emocionales – Origen de tu propósito.
- Transforma cualquier patrón condicionante.

Lecturas que te recomiendo para que sigas AMPLIANDO LA PERSPECTIVA del TIEMPO, del ESPACIO y de TU NATURALEZA…

1. El principito – Antoine de Saint-Exupery.
2. El poder está dentro de ti – L. Hay.
3. Las siete leyes espirituales del éxito – Deepak Chopra.
4. La experiencia descubrimiento - John Demartini.
5. Conversaciones con Dios - Neale Donald Walsch.
6. Todo se puede curar – Sir Martin Brofman.
7. Pide y se te dará – Esther y Jerry Hicks.
8. La medicina del alma – Eric Rolf.
9. La ley del espejo – Yoshinori Noguchi.
10. Pon el cielo a trabajar - Jean Slatter.

Títulos de la Colección